AUNQUE SEAMOS MALDITAS

AUNQUE SEAMOS MALDITAS

EUGENIA RICO

Santillana Ediciones Generales, SA de CV
Av. Río Mixcoac 274, col. Acacias
cp. 03240, México D.F. Tel. 54 20 7530

www.sumadeletras.com/mx

Diseño de cubierta: Arkaitz del Río-Nitidos Diseño

Primera edición: agosto de 2011

ISBN: 978-607-11-1202-6
Impreso en México

A mis padres
y a todos los que sufren la caza de brujas,
a todas las malditas.
A Iris Alma Ainur, nacida el
siete del siete.
Y a Isis, Diana, Hécate, Deméter, Kali, Inanna...
a todos los nombres de la Diosa y a todos sus rostros
en los hombres.
Para mi hermano Alfredo, que me ayudó a acabar
esta novela,
y para Pablo, favorito de la Diosa.

—Si existen las brujas tendrán que existir las hadas.
—¿Acaso no son lo mismo?

Del manuscrito de Ainur *Aunque seamos malditas.*

«Habrá que devolver ahora a las mujeres lo que les corresponde. Nunca más se les atribuirá una pérfida fama».

Medea, EURIPIDES

«Para mí sólo tiene lógica que Dios sea mujer».

Carta de JIM MORRISON a su esposa
Patricia Kennealy

«Los únicos demonios del mundo son los que circulan en nuestros corazones».

GANDHI

Desde que vi llegar a la pelirroja supe que no traería nada bueno. La pelirroja llegó al pueblo un día de tormenta. Llevaba semanas sin llover, pero, en el momento en que el coche de Gago pasó la curva de Bramadoiro, se desató un aquelarre de rayos y no hubo manera de que escampara. Así que la pelirroja tuvo que apearse en medio de la lluvia y aquel día no nos dimos cuenta de lo flaca que estaba, aunque ya entonces nos pareció huesuda y malhumorada y todos deseamos que se quedara poco tiempo.

Nunca debí volver. Uno vuelve porque espera encontrar algo, algo que cree que dejó olvidado y luego descubre que lo ha dejado en otra parte o que nunca supo dónde estaba. Uno no debe volver a los sitios donde fue feliz y mucho menos a los lugares donde ha sufrido tanto.

Ahora sé que las avispas han sido necesarias.

Nunca debí volver. No me ha esperado el mar. Ni las cuatro casas que quedan en pie con los tejados de pizarra invadidos por el musgo y las raíces de los robles enganchadas en los zaguanes. Mi abuela no me ha esperado ni siquiera en el cementerio. Hace tiempo que sus huesos fueron desenterrados y arrojados a la fosa común. Entonces yo era demasiado pequeña para evitarlo. Todos a los que quise han muerto hace tiempo. A este lugar no ha llegado el turismo rural ni nadie que repare los baches de la carretera. El viento sopla hasta el viejo faro que ya no alumbra. Las gallinas son las únicas que todavía deambulan por el pueblo, pero hasta ellas parecen perdidas.

Yo también estoy perdida.

—¿Te has perdido alguna vez?

Lo dijo la mujer del pañuelo negro, mientras me daba las llaves enormes de mi vieja casa, como si fueran las de un arca secreta. Y supe que conocía el viento.

Me miró de arriba abajo y tuve miedo de que se diera cuenta. Pero si se dio cuenta no dijo nada.

—De tu abuela decían que era bruja.

No le respondí.

—¿Tú también eres bruja?

—Las brujas no existen —dije mientras le miraba la nariz aguileña y los ojos verduzcos. Su diente de oro me guiñó el ojo. Pensé que, si las brujas existieran, se parecerían a ella. Pero no es cierto, porque si una mujer tuviera poderes lo primero que haría es convertirse a sí misma en la más hermosa.

Las brujas no existen. Fueron pobres mujeres alucinadas, torturadas, consumían setas para volar en sueños y a lo mejor se masturbaban con una escoba. Cometían pecados innombrables: ser demasiado pobres, demasiado feas, demasiado guapas. Todas las mujeres dicen alguna vez que son un poco brujas y todas las mujeres insultan alguna vez a otra llamándola bruja.

O sea que ser bruja es para las mujeres un deseo. Un orgullo secreto. Un insulto. Una calumnia.

Quizá por eso yo volví aquí, al pueblo de mi niñez, en busca de una bruja del pasado.

He venido a terminar mi tesis doctoral —seguí diciendo, pero la mujer de negro ya no me escuchaba.

Miraba hacia la ventana abierta como si hubiera visto algo. Lo único que yo alcancé a ver, a través de los cristales rotos, fueron las ramas del viejo roble al que me había subido tantas veces. Olían a lluvia y a madera quemada.

Dejadme que os hable de la bruja.

Dejadme que os cuente el día en que subí a la carreta de la bruja.

Entonces estaba muy lejos de saber que yo también acabaría en la hoguera. Ése fue el día en que lloré por la bruja todas las lágrimas que no lloraron sus enemigos, todas las lágrimas que no lloraron sus amigos. Ése fue el día de la bruja.

Recorrí todo el villorrio buscando una pieza de lino que acortara la agonía de la hoguera. Me costó tres ducados.

Era el día de la bruja. De la bruja que yo llegaría a ser. De la bruja que soy.

Selene nació la noche de San Juan, cuando más altas estaban las hogueras. El fuego antes del fuego. Antes de la hoguera, las hogueras. Arden en las cuatro esquinas de la aldea para celebrar el triunfo del sol.

Su madre estaba gritando desde hacía más de tres días. Al cuarto, da un grito sobrehumano, un grito que le corta la leche a su hermana recién parida y detiene las danzas de San Juan en la plaza del pueblo. Entonces, asoma la cabeza de la niña y, en ese mismo momento, se desata una tormenta. Cayó tanta agua que se apagaron las hogueras y los relámpagos y los truenos fueron tan terribles que todo el pueblo huyó espantado, y aquélla fue la noche de San Juan más horrenda que recordamos en memoria de hombre. Su tía le contó luego que trece gatos se pusieron a maullar debajo de la ventana de la pobre casa de piedra donde nació. Al oírlos, la madre de Selene comenzó a llorar. Su llanto tapó el del recién nacido. Sus gritos asustaron a los gatos y aterrorizaron a su pequeña, que le mordió el seno hasta hacerle sangre. Después de aquello no quiso ver nunca más a la niña, aunque fuera su hija. Como la leche le chorreaba por los pechos, que estaban a punto de reventar, pidió que le trajeran al bebé de su hermana y comenzó a darle de mamar. La criatura llevaba en este mundo sólo una semana y quería ya irse al otro, porque menguaba cada día como si se estuviese secando por dentro. Pero era un varón y Selene era la séptima hija de sus padres. Su madre mandó que la dejaran llorar hasta que se cansara de hacerlo. La muerte sabe acallar todos los llantos. Sin embargo, su tía Milagros, no se sabe por qué, se apiadó de ella. Como sus pechos se habían secado, le dio a beber un trapo mojado en leche de cabra. Su madre crió al hijo de su tía Milagros y su tía Milagros a ella, y el nacimiento fue sólo una equivocación del destino. Y, en verdad, Selene era igual que su tía, tan pelirroja y huesuda. Y pronto el pueblo creyó que era su única hija.

La tía Milagros no tenía marido, pero era partera, la mejor del valle, y nadie se atrevió a reprocharle nada. En cambio, su verdadera madre estaba casada con un herrero, un hombre que raramente pronunciaba más de tres palabras seguidas. Lo único que le oían mascullar era: «¿Y mi comida?».

Cuando supo que su mujer había dado a luz a una séptima niña, no se preocupó de las habladurías del pueblo sobre los gatos y la tormenta. Se fue directo a la taberna y, por primera vez en su vida, pasó la noche hablando con unos y con otros y a todos les contaba que, si volvía a nacerle una niña, la ahogaría antes de que abriese los ojos. No hizo nada de esto con Selene. Se limitó a ignorarla. Se aficionó a su sobrino y lo crió como si fuera su propio hijo. Y las malas lenguas decían que lo era. Con el tiempo, pareció olvidar que era el padre de Selene. Ella también lo olvidó o quizá no lo supo nunca, porque, un día en que los niños del pueblo le quitaron por la fuerza el cántaro de leche que llevaba y Selene lo recuperó a pedradas, uno de ellos, el hijo del alguacil, le dijo sólo para hacerle llorar que su padre era su tío el herrero. Selene rió a grandes carcajadas y pronunció las palabras fatídicas que sus enemigos habrían de recordar ante el Tribunal:

«Antes preferiría ser hija del Diablo».

Dicen que toda aquella gente murió por mi culpa. Lo dicen y no encuentro la manera de que nadie me crea. Todos están ahora muertos. Ya no queda nadie que diga la verdad. Ni siquiera yo. Porque no tengo quien me escuche. Pero está escrito: el que tenga oídos para oír que oiga. Por eso te lo cuento a ti. El único amigo que me queda en el mundo. Un amigo que es más que humano.

Siempre han quemado a las mujeres que llamaban brujas. Me costó tanto descubrir por qué... Ellos mienten siempre. Mienten sobre todas las cosas, pero nosotras somos lo único sobre lo que les importa mentir. Algunos dicen que todo empezó el día en que te encontré. Es el mismísimo Diablo, dijeron entonces. Sólo eras un perro negro y grande, que en aquella época era pequeño y asustadizo. Te salvé la vida. Con el tiempo, tú me la salvarías a mí. Aquel día de noviembre, cuando cayó el meteorito, la gran oportunidad se abrió para muchos. La llanura estaba llena de extraños. Tú sólo eras un extraño más.

Primero era ella sola. Luego llegó el cojo. Desde que llegó el cojo, las cosas no fueron ya las mismas. Un día el cojo desapareció y empezamos a verla con el perro negro. Algunos la compadecían. Yo no me dejé engañar. No me gustaba. No sabría decir por qué, pero no me gustaba nada. No sé si fui la primera en decirlo. Sin duda fui la primera en saberlo. La chica era bruja. Igual que su madre, lo mismo que su abuela. Su madre era mulata. Engañó al chico de los Galán, un chico bueno como su padre. No se parecía en nada a la madre, que había sido meiga hasta el día en que se murió y, sin duda, seguía siendo meiga en la otra vida. La madre le enseñó la magia de los negros, la magia que ella misma había empleado, porque la chica era de piel blanca, de piel blanca, pero de alma negra. Hay cosas que no cambian. Cosas que no podemos cambiar por mucho que queramos.

Era el peor invierno de mi vida. Avanzaba bajo la lluvia, de vuelta al pueblo por entre los acantilados. El agua me mojaba las pestañas, el mar rugía y el aguacero bailaba a mi alrededor, como un aquelarre de brujas enloquecidas. El agua quemaba como fuego. La hierba parecía musgo al acercarse al abismo. Me detuve en el mismo borde del precipicio. Extrañas fuerzas en el cielo y en la tierra se habían puesto en marcha con la única intención de destruirme. No era momento para perder la cabeza. Sobre la hierba estaban los restos del almuerzo que había vomitado. Y eso no era lo peor. Hombres que nunca había visto antes me buscaban para matarme. Y no tenía ni idea de qué hacer con mi vida.

Estaba en Asturias, de pie sobre los acantilados del destino, haciéndome más vieja cada minuto que pasaba. Medía un metro sesenta y cinco y, por más que había hecho largos en la piscina del Raval, no había conseguido estirarme por encima de mí misma. De pequeña quise ser piloto de aviación, pero no sólo era mujer; peor aún, era miope. Tenía la cara tan llena de pecas como lo está una jirafa de lunares. Era demasiado corta de estatura incluso para ser azafata de avión y ya no iba a crecer ni un centímetro más; al menos, no hasta que estuviera en mi sepultura. A pesar de mis sueños infantiles, no había logrado subir nunca a un aeroplano. Sin embargo, me subí al podio como número uno de mi promoción en la Facultad de Historia. Eso sirvió de algo, pero no de mucho, ni durante mucho tiempo. Me habían echado del trabajo. Gané el primer juicio por acoso laboral del país. Había salido en todos los periódicos. Un caso histórico. No me había servido de nada. Por más que había intentado conseguir trabajo, en cuanto reconocían mi nombre, encontraban alguna excusa. Y, ahora, yo acababa de darles la excusa definitiva.

Párate, me dije, ¿qué es lo que te pasa?

¿Por qué has vuelto aquí? ¿Creías que encontrarías algo nuevo? ¿Algo diferente? ¿Una respuesta? Porque la verdad es que no hay respuestas. Y lo único cierto es que te haces más vieja cada minuto que pasa. Todavía no has cumplido los cuarenta y, para ti, ya es demasiado tarde.

Has vuelto a este pueblo adonde no debiste volver, donde no te quieren y nunca te han querido. Un pueblo arrimado a un precipicio, como tu propia vida, con el dinero de la indemnización y la frágil excusa de tu fascinación por una bruja del pasado. Casi me das pena. ¿Adónde crees que vas a llegar? ¿Qué vas a descubrir? ¿No tienes miedo de la verdad sobre las brujas? Que eran pobres mujeres como tú, que querían ser amadas como tú. Y al final sólo las esperaba el fuego.

El día de Pentecostés, y en el mismo momento en que intentaban que el cuerpo de la difunta Luz Cifer Fuentes entrara por la puerta principal de la iglesia parroquial de Priorio, un rayo fulminó la cúpula de la basílica. Murieron tres personas. El cuerpo de Luz Cifer jamás llegó a entrar en la iglesia y por expreso deseo del señor párroco se la enterró sin misa ni bendición en un terreno cercano al cementerio, sin consagrar. Todos habían dicho que era bruja.

Cuando leí en el periódico la noticia, la tomé por una broma de esas que los becarios, con más ingenio que sueldo, gastan a los sufridos lectores, domingo sí, domingo no. No era ninguna broma, sino el comienzo de la más macabra historia que me ha tocado vivir.

En el principio era el verbo. Y el verbo se hizo cuaderno. Y habitó entre nosotros.

Antes de un libro siempre hay una taza de té.

Abrí el cuaderno y escribí: «Aunque seamos malditas».

Llevaba años trabajando en la historia de Selene, la partera, la que hablaba con los lobos. Injustamente acusada y perseguida y al final quemada en la hoguera por bruja.

Aquél había sido el sentido de mi vida. Un sentido sin sentido, como el de la mayoría de la gente, con el que pude ir tirando por un tiempo.

Luego lo olvidé. Con el proceso, los periodistas apostados en mi puerta, las gafas negras y los programas de televisión, la caza de brujas dejó de ser algo del pasado para convertirse en parte de mi presente.

El teléfono no dejaba de sonar. Pensé que nunca dejaría de sonar.

Y un día dejó de sonar. Se olvidaron de mí. Los amigos y los enemigos. Volví a ser yo misma. Volví a quedarme sola. Para unos había sido una víctima, para otros una embaucadora. Había leído tantas cosas sobre mí, que ni yo misma sabía quién era.

Todos los días leía esos periódicos, que ya no hablaban de mí como si fuesen el mapa del tesoro. Creía en la letra impresa, en la verdad de lo que ha sido escrito. Las palabras se las lleva el viento. Los libros se los lleva el olvido. Creía que en alguna parte, entre la tinta que se me quedaba en las manos, estaba la clave o el sentido perdido de mi vida.

«Antes preferiría ser hija del Diablo», escribí y al escribirlo supe que eso era lo que había dicho Selene. Avanzaba a tientas en la oscuridad, a veces encontraba un viejo legajo, algún documento en el Archivo Provincial, una mención en una tesis doctoral y conseguía ver a Selene por un momento. Los papeles viejos eran como cerillas que iluminaban por un instante un retablo. Los personajes de la vida de la comadrona cobraban vida unos segundos y enseguida volvían a sumirse en lo oscuro. Era como un secreto que me contaban al oído en la oscuridad. Alguien encendía una cerilla e iluminaba partes de la historia como si fueran trozos de un retablo, pero la luz duraba sólo un instante. Yo seguía buscando la fuente que aclarase todas mis dudas. Una vela, una lámpara, una partida de bautismo que diese luz el tiempo suficiente. Sabía que entonces la historia completa, el gran dibujo, que siempre había estado ahí me golpearía en los ojos. Mientras tanto, sólo tenía fragmentos. «Antes preferiría ser hija del Diablo», había dicho Selene, la hija del herrero.

Empezaba a creer que mi tarea era imposible, que el oficio de historiadora era peor aún que el de inventora de historias. Que nunca había habido nada nuevo bajo el sol, ni nadie que supiese encontrarlo.

Y, entonces, encontré la historia de Luz Cifer. Un nombre imposible para una historia imposible.

Las brujas son un invento europeo, que luego hemos ido exportando. En el resto del mundo conocen la brujería, pero no a las brujas.

Aunque no lo creamos, toda Europa es una misma cosa. Al menos lo son los pueblos. Los domingos se hace bricolaje y se envidia al vecino. Los días de semana se trabaja y se ahorra para comprarse un coche más grande que el del vecino. Sólo los sábados la gente sale a la calle o al campo con la esperanza de hacer algo distinto, de ser diferentes por un día, por unas horas. Puede ser la cerveza, el fútbol o las setas. Los hombres salen al campo para ser distintos.

Y algunas mujeres vuelven al campo para ocultarse, para ser como las otras o para que no se note si son distintas. Porque algunas mujeres siempre han querido ser como las demás y nunca lo han conseguido.

La víspera del día en que debían quemar a su tía Milagros, Selene se levantó antes del alba. Estaba oscuro, cantó un gallo y temió que amaneciera de repente y la descubrieran, pero ella sabía que los gallos cantaban toda la noche. Se escabulló hacia la cuadra, alcanzó el corral y salió de la casa procurando que el ruido que hacía se mezclase con el de los animales que a aquella hora empezaban a revolverse en sus sueños temiendo ya la mano que vendría a ordeñarlos, a quitarles el huevo, a robarles lentamente lo que tanto les costaba engendrar en su seno. Quería comprar dos maravedíes de lino pero alguien le dijo que la lana ardía mejor. Tenía que guardar algo de dinero para sobornar al verdugo y que la leña estuviese seca y crujiente. Ella misma la había recogido y la había llevado a la cárcel cargada a sus espaldas, aunque las prisiones de la Inquisición donde estaba su tía se encontraban a medio día de camino. La vieja hilandera, su única amiga, le dijo que era inútil. Si no sobornaba al verdugo, la leña seca sería vendida y su tía sería quemada con troncos jóvenes y húmedos que arden lentamente y te ahogan en humo negruzco. Las oraciones puede que no ayudaran pero el oro podía hacerlo. Selene no tenía dinero. Por suerte, el día anterior la mujer del cantero se había visto aquejada de un horrible mal de muelas. Su tía Milagros era la única del pueblo que hubiera podido ayudarla. Selene tenía ahora sus instrumentos. Le costó mucho sacarle la muela y más aún sufrir sus insultos y sus gritos. Esa misma tarde, se encontró mucho mejor y la mandó a buscar para darle dos maravedíes. Uno por haberle sacado la muela y el otro para que ayudase a su tía. Entonces se dio cuenta de que la mujer del cantero era una buena mujer. Su tía Milagros la había asistido en los partos. Con manteca y buena mano le había dado la vuelta al único varón que había traído al mundo y que venía de nalgas. A su tía Milagros no se le había muerto en el pueblo ninguna parturienta. Que ahora dijeran que eso era mérito del Diablo, a ella no le importaba. Su madre había muerto de parto, seguía diciendo la mujer del cantero, le daba igual a quién hubiera que agradecérselo, esperaba que llegara un día en que, gracias al divino o al maligno, las mujeres no tuvieran que morir al dar a luz.

Selene, aunque sólo tenía trece años, le tocó la frente para ver si el flemón le había hecho subir la fiebre en exceso, y luego le dijo que callara, que tales cosas podían llegar a otros oídos y de éstos a los del Santo Oficio, pero la mujer del cantero ya le había puesto el dinero en la mano y cerraba la puerta tras de sí, santiguándose.

Ainur

Podéis llamarme Ainur. Es un nombre como otro cualquiera. Y también yo soy de cualquier parte, aunque antes creía que era de aquí mismo. He vivido en muchos lugares, demasiados. Hace treinta y cuatro días dejé Barcelona para siempre —o para un espacio tan largo de tiempo que los humanos lo llaman «siempre»— y volví a este pueblo de la costa. Lo recordaba como el Paraíso. Uno no puede fiarse nunca de la memoria de su infancia.

Los acantilados son oscuros, pero más oscuras son las playas de arena negra. Las rocas son blancas, relumbran en una tierra blanda donde la hierba parece musgo. El viento sopla y las casas parecen inclinarse para dejarlo pasar. O al menos eso piensa una la primera vez. Luego se da cuenta de que ya estaban inclinadas, por los siglos, por la humedad, por el aburrimiento espeso. Todo es hermoso con una belleza que hace daño. Mientras camino se forman nubes delante de mi boca. A veces puedo ver imágenes del Apocalipsis en los vahos que forma mi aliento. Y, de repente, cuando estoy a punto de llegar al faro, los veo. Son agujeros en la tierra que arrojan trozos de mar blanco. Aúlla la espuma. El mar hierve. Son géiseres de agua salada. Me habían contado que existían pero no los había visto nunca. Dicen que han levantado a un hombre más de cien metros. Cuentan que cayó a tierra en trozos tan pequeños que se pasaron días recogiéndolo y al final se lo dejaron al mar. Al fin y al cabo, el mar es sagrado.

En la tierra de mi abuela los llamaban bufones. Porque bufan. Porque braman. A mí me parece que gritan. Hay un monstruo escondido en esta tierra que grita para que lo dejen salir. Y, en unos segundos, se aleja el viento y el mar se vuelve suave. Y hay algo que echo de menos. Con los bufones, el paisaje me da miedo pero sin ellos me da tristeza. La niebla sube en ese momento y el faro se ilumina. Corro hacia él. Hacia el faro.

Y el hombre con los guantes rojos corre a mi encuentro.

Escribo para el mismo ser al que escriben los enamorados cuando escriben sus nombres en la arena de la playa.

Sólo que quizá yo escriba en la arena de un desierto.

Y ese desierto es el de mi vida.

LA VOZ DEL NORTE

REDACCION

Sin noticias de Ainur

Han pasado ya tres semanas desde su desaparición y sigue sin haber noticias del paradero de Ainur, la mujer que cambió la historia laboral de España al ganar el primer juicio en nuestro país por acoso.

Fuentes cercanas a la desaparecida aseguran que habría recibido amenazas de muerte. El alcalde de Idumea, condenado por acoso sexual y laboral, ha negado cualquier relación con las supuestas amenazas y ha reiterado que no dimitirá hasta que exista sentencia firme sobre el caso. Por el contrario, aseguró que ganará la apelación: «Estoy dispuesto a todo. Iré hasta el Supremo y el Constitucional, iré a donde tenga que ir y haré lo que tenga que hacer con tal de lavar mi buen nombre y que mi pueblo y mi familia se resarzan del daño que les han hecho».

Ayer, en Idumea, el pueblo de cinco mil habitantes del que es regidor, volvieron a reunirse quinientas personas frente al consistorio de la localidad a los gritos de: «¡Alcalde, alcalde!», «¡Puta, puta, puta!» y «¡Bruja, bruja, bruja!». La manifestación, no autorizada por el delegado del Gobierno, se disolvió sin incidentes.

Esperaba que el pueblo hubiese cambiado, que fuese más grande o más pequeño; no estaba preparada para encontrarlo igual. Lo único diferente eran los colores. Ahora parecían más difuminados, más fantasmagóricos, como si la niebla que bajaba cada mañana de los montes hubiese comenzado a borrarlos. Así se sentía ella: borrada.

Había ganado el juicio pero, cuando se miraba al espejo, le parecía que el Tribunal se había llevado todo el brillo de sus ojos, esas chiribitas que transformaban sus ojos pequeños y feos en faros para no perderse en la oscuridad.

Ahora su cara era una cara sin ojos. Miraban hacia dentro, como los de los ciegos.

Era pobre y cuando tuve dinero descubrí que seguía siendo pobre. Toda tu vida eres tan pobre o tan rico como lo has sido de niño.

Ellos me dieron dinero.

Para callarme la boca.

Cuando se tiene dinero, el dinero es como un colchón de plumas. No cambia la realidad, la acolcha. A veces el colchón de plumas se extiende sobre las paredes; en ese caso, no impide que oigamos la realidad pero hace que las voces parezcan venir de muy lejos.

Y ni siquiera el dinero puede borrar los recuerdos.

Usted me obliga siempre a hacer cosas que no quiero.

—¿Yo?

—No me contradiga, no quiero reprenderla, no quiero interrogarla pero usted sigue obligándome a ello.

—No ha sucedido nada que pueda reprocharme.

—Eso no es lo que tengo entendido.

—¿Puedo saber de qué se me acusa?

—Sus compañeros me han asegurado...

—¿Qué compañeros?

—He prometido no revelar su identidad.

—Cómo puedo defenderme si no sé qué han dicho ni quién lo ha dicho.

—Parece ser que celebró una orgía en la oficina.

—¿Una orgía?

—Sí, con la excusa de celebrar el hecho de que por fin se le reconocía su título universitario.

—Sólo invité a unas Coca-Colas.

—Me lo han contado de manera diferente. Me han asegurado que se consumieron todo tipo de licores. Que la fiesta no se limitó a su despacho sino que se extendió por toda la planta noble de la oficina. Dicen que una joven, cuyo nombre también me he procurado, se quitó las bragas sobre mi mesa y, uno tras otro, varios compañeros satisficieron sus bajos instintos.

—Usted no puede creer eso y tampoco tiene imaginación para inventarlo.

Mi jefe hace girar el puro en su boca, como si fuera un destornillador. Gira en su boca, que es la tuerca en la que se atasca mi cordura. Creo que su boca se soltará y caerá al suelo en cualquier momento.

Seguirá hablando desde el suelo.

—Usted me obliga a creer estas cosas, me obliga a abrirle un expediente, cuando usted y yo sabemos que las cosas podrían ser de otro modo. Que todavía pueden ser de otro modo.

> «Los brujos y brujas son esclavos del Diablo. Mientras los brujos son proclives a la soledad y se caracterizan por su hosquedad y serenidad, las mujeres son en general hermosas, expertas y amantes de las diversiones tanto legítimas como ilegítimas».

Todos los textos que tratan este argumento coinciden en señalar en qué modo se pueden establecer las características de una bruja. Las más evidentes son su incapacidad para llorar, la imposibilidad de hacerles brotar sangre de una herida y su resistencia a morir ahogadas. En todos los procesos efectuados contra las brujas en toda Europa, las mujeres acusadas de brujería eran torturadas y confesaban entre gritos, lamentos y llantos, pero no parece que esto hiciese dudar a los inquisidores.

Las acusaciones se basaban en la participación en el Sabat o aquelarre y no tanto en su capacidad para preparar hechizos. En muchas localidades se llevaron a cabo grandes matanzas de gatos porque se creía que las brujas podían transformarse en gatos o en otros felinos.

La ceremonia del Sabat se llevaba a cabo en un lugar elevado. Era esencial que un bosque delimitase la explanada. El bosque representaba al coro y la explanada, la nave de la iglesia. En el bosque se erigía un altar de piedra que tenía encima una estatua de madera que simbolizaba a Satanás con cuerpo humano pero con la cabeza, las manos y los pies de un macho cabrío. La estatua estaba pintada de negro, tenía un órgano viril de gran tamaño y se le ponía entre los cuernos una antorcha encendida.

La llegada de las brujas y los brujos, llamada *introito*, daba lugar a los inicios del Sabat. Primero se elegía a la sacerdotisa, joven y virgen. Se le llamaba «princesa de los Antiguos».

La princesa ordenaba a sus súbditos que encendieran todas las antorchas, incluida la que estaba colocada entre los cuernos de la imagen. Acto seguido, la sacerdotisa invocaba la ayuda de Satanás y la protección de los malvados con una voz fuerte y llena de inspiración.

Con las antorchas llameantes situadas en fila, las brujas y los magos se acercaban al ídolo para besarle los miembros inferiores mientras que la princesa abrazaba el falo y fingía que se abandonaba al ídolo.

A continuación, el rito pasaba a ser un banquete. Los presentes, divididos en parejas, comían lo que habían traído y bebían vino, sidra o cerveza, brebajes que ya eran conocidos en el siglo XII. Las viandas se sazonaban con hierbas supuestamente encantadas que provocaban una irrefrenable excitación en los comensales.

Henos ya en la ceremonia principal del Sabat: la danza. Brujas y magos bailaban espalda contra espalda, cogidos de la mano y con la cabeza vuelta para poder ver al vecino. Estas danzas provocaban vértigo. Llegado cierto punto, los bailarines rompían el círculo pero seguían bailando y saltando, cambiando continuamente de compañero. Se efectuaba una auténtica zarabanda. Teniendo en cuenta que el ritmo de la danza iba cada vez en aumento y se aceleraba, es fácil comprender que los participantes cayeran pronto en un estado desenfrenado de éxtasis, entonces comenzaba una orgía sexual.

En el culmen del desenfreno, una orden de la sacerdotisa rompía la fiesta. Ella misma, en ese momento, se convertía en altar. Se extendía desnuda sobre el ara de piedra y el oficio era efectuado por uno de los magos, considerado como la encarnación de Satanás. Éste realizaba las ofrendas sobre el cuerpo de la sacerdotisa. A este mago le sucedían otros y también brujas, mientras que, en medio del frenesí, los restantes presentes se intercambiaban las ofrendas. En los tenebrosos textos de la brujería, se lee que la sacerdotisa era torturada de la manera más cruel durante muchísimo tiempo.

La frase es oscura pero, teniendo en cuenta el hecho de que ninguna tortura (en el sentido de fustigación) era efectuada y, sobre todo, considerando que el término «ofrendas» puede aludir al acto sexual, es evidente que la repetición de estos actos sobre una muchacha virgen acaba siendo una tortura para ella.

La orgía se efectuaba entre continuas invocaciones a Satanás y actos sangrientos como decapitaciones de erizos (considerados venenosos) y otros animalillos.

El Sabat comenzaba a avanzadas horas de la noche y terminaba al amanecer. La aparición del lucero del alba señalaba el final de la fiesta. El rito terminaba con un enorme coro de maldiciones. Después, cada uno de los participantes seguía su camino.*

* Ainur Méndez. *Brujos y brujas en la España renacentista. El caso de la partera.* Universidad de Oviedo, 2008.

Siempre he sabido que hay cosas que no se pueden contar a nadie. Cosas secretas. Ocultas. Siempre he sabido que los deseos pueden hacerse realidad si se piensan de un cierto modo, suavemente y con ingeniosidad. Imaginas en tu interior las cosas que quieres. Como si las vieras en el fondo de un pozo.

Y siempre he sabido que nadie debe saberlo, nadie debe oírlo, porque pueden pensar que estás loca o que quieres llamar la atención; sin embargo, a veces quisieras ayudarlos, explicarles cómo son las cosas, para que la vida no sea tan larga y tan difícil.

Y lo intentas y, en el mismo momento en que lo intentas, sabes que has vuelto a equivocarte.

Selene

Lo peor de la vida en la cárcel era la sed. La cárcel era como un establo, el suelo estaba lleno de charcos, de excrementos, de gritos. Pero lo peor era la sed. La sed lo llenaba todo. Llenaba incluso sus recuerdos. Le parecía que siempre había tenido sed. Que tenía sed de niña cuando a la gente le daba miedo que entrase a la iglesia. Que había tenido una sed infinita mientras curaba el mal de muelas, el baile de san Vito, la sequedad de vientre y los cólicos por los caminos del norte de España. Le parecía que toda su vida había sido una vida sin agua, una garganta seca. Quizá por eso nunca había podido llorar, simplemente le faltaba el agua. Ahora el agua le llegaba hasta los tobillos: agua sucia, pardusca. Arañaba la pared para resistir la tentación de bebérsela. Algunos la bebían y morían presa de terribles cólicos. Luego, los quemaban en efigie. A menudo tenía fiebre. Por dos veces estuvo tan enferma que el inquisidor pagó a Juan de Requesens para que hiciese su efigie de madera, pues no querían privar al pueblo del placer de verla en la hoguera ni siquiera muerta y todo el mundo sabía que las efigies que se hacen a semejanza de un cadáver son imposibles de reconocer. La cárcel y la muerte deforman hasta los rostros más hermosos. Muchas madres no reconocían a sus hijos. Muchos hijos no reconocían a sus madres.

El inquisidor quería que todo el mundo pudiese reconocerla, que todos tuviesen la oportunidad de escupir sobre ella. Para el inquisidor, el fuego era voluptuoso y estaba hambriento. Nada complacía tanto al fuego como una mujer hermosa.

Llegar hasta aquí no es fácil. Para llegar aquí es necesario haber cogido siempre el camino equivocado. No una. Muchas veces. Confiar en las personas que te traicionarán. Amar a quien no te ama. No saber qué efecto hace el sonido de tu propio nombre cuando otro lo escucha. Estar maldita.

He confiado en traidores y escuchado a enemigos. Sólo yo tengo la culpa de mis lágrimas. Y sólo yo voy a pagar por ellas. No creo que ni siquiera el calor de la hoguera pueda calentar la llanura helada de mi corazón. Sé que la luz de las llamas no podrá llenar la oscuridad de mi alma. Porque no sé si soy una bruja. Pero sé que estoy maldita.

No sirve de nada llorar. Las brujas no lloran.

Ni siquiera si me vieran llorar creerían que no soy bruja.

He vivido para los hombres, para lo que los hombres quisieron de mí. Y ahora me siento como un cubo de basura donde los hombres han arrojado sus inmundicias y, un día, esta basura germinó, como a veces le ocurre al estiércol. De la mierda ha nacido una planta esquelética y frágil: mi propia hija.

Por ella hago aquello de lo que se me acusa y que nunca he hecho: enveneno las fuentes. Escribo mi historia.

Ainur

Todas las mujeres, en algún momento de su vida, dicen que son un poco brujas. Lo dicen riendo o sonriendo, con una mueca de superioridad. Y todas las mujeres en algún momento de su vida dicen de otra que es una bruja. Lo dicen con desprecio, con pena, sabiendo que la acusan del pecado más terrible. ¿Cómo puede ser que ser bruja sea para una mujer a la vez un orgullo y un insulto? La expresión más alta de ser mujer y su negación.

Consuelo

Desde que vi llegar a la pelirroja supe que habría problemas. La pelirroja no era trigo limpio. No lo habían sido ni su madre ni su abuela. La hija de una madre soltera, nieta de una madre soltera. Tenía que preñarlas el Diablo, si no de qué... porque las hijas eran siempre iguales a las madres, las abuelas con el mismo rostro que las nietas.

Aínur

Con la vida me pasa como con los libros. Me gustaría pasar las páginas y saber ya cómo acaba todo. Me gustaría saber el final de mi historia. Si vendrá el héroe. Si quemarán a la bruja. Pero la vida no es como los libros. En la vida, como en los libros, si pasas las páginas demasiado deprisa llegas al final antes de tiempo y en la vida, a diferencia de los libros, el final es la muerte y no se puede volver atrás para releer las páginas que uno ha leído demasiado deprisa. Querer conocer el futuro es querer anular el tiempo, es llegar a la muerte prematura con demasiadas páginas en blanco.

Selene

Los que no reúnen las condiciones para ser vanidosos, se quedan en envidiosos».

Al oír esto, el esbirro la golpeó y la lanzó contra el suelo pero ella consiguió levantarse y decir:

«Señor, me siento cansada de tanto estar de pie y por el ayuno y por el esfuerzo; le suplico que me deje descansar y que haga que me den de comer, y diré luego la verdad de todo cuanto sé».

Sabes cosas que no sabes. Sabes cosas que no quieres saber. Ves cosas que no has visto. Oyes cosas que no has oído, que nadie ha oído. Y todo el tiempo te preguntas: ¿era esto?

¿Es esto?

Cierras los ojos porque sabes que la voz estará ahí y te responderá: sí, esto es lo que tenía que ser. Lo que siempre ha sido.

Al principio era divertido. Estaba segura de que le ocurría a todo el mundo. Pensaba que yo no era distinta.

Seguro que os ha pasado. Piensas en alguien y al cabo de un rato te llama por teléfono o te lo encuentras por la calle. Pensaba en un conocido y esa persona me llamaba por teléfono. O me la encontraba en el metro. Sabía que el teléfono iba a sonar unos minutos antes de que lo hiciera. Y luego, como si esa nueva habilidad fuera como conducir, sonaba el teléfono y sabía quién me estaba llamando antes de cogerlo. Alguna vez soñé con las preguntas de un examen. Saqué matrícula en Historia de la Antropología habiéndome estudiado una sola pregunta, porque ésa fue la pregunta que hicieron.

Estaba segura de que le pasaba a todo el mundo, de hecho no hacía más que encontrarme con gente que aseguraba que también le ocurría. Todo había empezado haciendo unos ejercicios para mejorar la miopía. Más tarde me dijeron que lo que hacía con aquellos ejercicios era meditar. Nunca supe si era cierto porque cuando empecé a tener la sensación de que flotaba por encima de mi cuerpo y salía de la habitación tuve también la dolorosa sensación de que mi cuerpo se quedaba huérfano cada vez que yo partía de viaje astral. Sospeché que después de uno de aquellos paseos no podría volver a mi cuerpo. Estaba segura de que eso me mataría. Así que dejé la meditación, dejé los ejercicios para corregir la miopía, dejé el yoga y hasta dejé de fumar marihuana. Vosotros también lo habríais hecho.

Nunca más salí de mi cuerpo, aunque a partir de aquel momento hubo muchas situaciones en las que me hubiera gustado hacerlo.

Selene

Tu marido va a morir —dice Selene.

Y la mujer del cantero no se lo toma a broma.

No pregunta: «¿Y tú cómo lo sabes?». No dice: «¡¡Cállate!!».

—¿Cuándo?

—¿Te pega?

—No mucho, a veces, como todos los maridos. —Se santigua—. Es pecado desear la muerte del propio esposo, yo no la deseo. —Y vuelve a santiguarse.

—No es un deseo, va a morir, lo he soñado.

—¡Ah!

—Te lo digo para que estés preparada.

—Tú puedes hacer que muera —dice y baja la voz.

—Yo no tengo nada que ver, sólo lo he soñado.

A los tres días la esposa del cantero es la viuda del cantero. Ha heredado la casa y ha comprado vestidos nuevos a los niños. Atraviesa el pueblo y va en busca de Selene.

—Se ahogó en el arroyo, en un palmo de agua, estaba borracho, volvía de la taberna.

—Lo sé —dice Selene, y no queda claro si se lo han contado o si lo sabía de antes.

—Quiero pagarte.

—¿Por qué?

—Por el servicio que me has prestado.

—Yo no le he hecho morir. Sólo sabía que iba a morir.

—Es lo mismo —dice la mujer del cantero—, me has devuelto la vida.

—Dios te la ha devuelto, buena mujer.

—Eres una santa —dice la mujer del cantero y le besa la mano.

Pero Selene sabe que no hubiera debido hablar. Todavía no.

Ainur

De las brujas entonces yo no sabía casi nada. Eran señoras montadas en una escoba, eran amantes del Diablo, quien, a veces, se las tiraba por las noches y otras se contentaba con que le besasen el culo: el culo frío como los muertos, como el pecado solitario. Las brujas no tenían nada que ver conmigo.

A las brujas en los libros las pintaban feas, espantosas, con verrugas, siempre morenas, nunca había visto una bruja rubia, aunque sí pelirroja. Como si le hubiesen teñido el pelo con sangre de zanahoria. Eran brujas que no daban miedo, a veces daban pena.

No me cabía ninguna duda de que, si alguna mujer hubiera tenido alguna vez poderes extraordinarios, hubiese sido extraordinariamente hermosa. Las brujas, si existían, no podían ser feas. Esto funcionaba también al revés. Las feas no podían ser brujas.

Yo soy fea. No sabéis lo que significa ser fea todos los días.

Ya no soy tan fea como antes. Pero soy fea. Me costó muchos años poder hacer esta afirmación en voz alta.

Era fea. No la más fea, pero sí lo suficiente. Llevaba gafas que al principio eran de culo de botella y con los años y los euros se hicieron de cristal ultrafino. Gafas al fin que disimulaban un poco mi nariz de caballete. Sobre el color de mis ojos podrían escribirse muchas cosas pero no había ni dos personas que estuviesen de acuerdo en cuál era. Ni yo misma sabía cuál era. Cuando estaba nublado tenían el color del pelo de las ratas de laboratorio. Los días de sol eran verduzcos. A veces, cuando un rayo de luz caía sobre ellos, parecían, de repente, azules y también yo, por un instante, dejaba de ser fea. Bajo determinadas luces parecía otra persona. Mis escasos amigos lo sabían bien. Me transformaba o puede que yo me sintiera transformada. Eso bastaba para que el mundo fuera un lugar diferente.

Pero esos momentos duraban poco. La última vez sucedió un domingo en un pub. Llovía desde hacía días. Aparqué la bicicleta en el barro y entré para tomar un carajillo. Me gusta que el alcohol me queme un poco la garganta mientras aprieto mi nariz fría contra la loza caliente de la taza. Y ése fue el día en que encontré a Satán.

Selene

El año en que murió su tía Milagros fue un año ventoso y lleno de calamidades. Ya en enero, las comadres habían dicho que aquellos tiempos pertenecían a Satán. Había guerra por todas partes y las levas del rey hacían llorar al pueblo. Las lluvias fueron catastróficas, los cielos se abrieron y el agua se lo llevó todo a su paso. Los ríos se desbordaron y se llevaron el viejo molino y el puente romano. En otoño hizo tanto frío que la escarcha destruyó las cosechas. En los cielos oscuros e inhóspitos caían las estrellas y los pastores aseguraron haber visto una lengua de fuego que tal vez fuera un cometa. La tierra tembló y los huesos de los muertos asomaron al altar de la iglesia. Un rayo quebró la cruz de la capilla. Las comadres se santiguaban. Aseguraban que Cristo y los santos dormían y que el Diablo había venido a reinar este mundo. Dijeron que del manantial de la Virgen manó sangre durante tres días y algunos viajeros vieron a las xanas en los bosques. Su tía no creía en nada de todo aquello, pero ordenó a Selene que hiciera la señal de la cruz cada vez que se lo contaran.

—La gente tiene hambre —decía su tía mientras sus manos rugosas clasificaban las hierbas que habían recogido aquella tarde en los humedales—. Peor aún, tienen miedo. Tienen miedo de todo y no saben por qué. Pronto comenzarán a buscar las razones de su miedo. Si no las encuentran, verán enemigos por todas partes. Necesitan a alguien a quien culpar de tantos males. Y ese alguien no puede ser Dios porque ya no quedaría nada a lo que aferrarse. Entonces empezarán las persecuciones. Perseguirán a todos los que son distintos. A los más pobres y a los más ricos. Perseguirán a los judíos, a los moriscos, a los herejes. Y antes perseguirán a las mujeres, sobre todo a las mujeres como nosotras, que no somos ni viudas ni casadas, ni monjas ni solteras. Las cosas van demasiado mal. Hasta que no hayan cebado su ira en algún pobre desgraciado, ni Dios ni el rey estarán a salvo.

Selene sabía que su tía Milagros casi siempre tenía razón, pero ese día no le dio importancia a sus palabras. Sólo cuando vinieron a prenderla se dio cuenta de que habían sido un epitafio y una profecía.

Ainur

Para mí fue el día en que encontré a Satán, el día en que dejé de ser fea, pero para los demás fue el día del eclipse.

Desde por la mañana, mujeres con pañuelos en carretas tiradas por bueyes, autobuses llenos de obreros con sus monos de trabajo, niños en bicicleta y jovenzuelos en moto habían ido llegando al lugar del eclipse.

Decían que sería el único eclipse total que veríamos en nuestra vida. Dentro de ciento cincuenta años habría otro eclipse sobre esa parte de Europa pero para entonces ya estaríamos muertos.

Supongo que por eso fuimos. Por eso vinimos de todas partes. Gentes muy distintas que no tenían nada en común. Se levantaron muchas carpas de vivos colores y en la campa frente al mar se irguió de pronto otra ciudad que olía a chorizo frito, a sidra ácida y a sudor, y sabía a frisuelos y a churros. Todo el mundo hablaba del eclipse porque el eclipse nos había unido. Nos había convertido de repente en un solo pueblo con un solo objetivo. En una esquina se levantaba un globo de colores, enseguida lo rodeó una avalancha de curiosos. Pronto descubrimos que era para las autoridades, los demás tendríamos que ver el eclipse con los pies en la tierra para recordar que éramos mortales.

La campa que se había escogido para ver el eclipse estaba al lado del viejo cementerio. Algunos (yo fui una de ellos) pensamos que era el mejor sitio para ver cómo se apagaba el sol, en el límite de la vida y la muerte.

Fuera del cementerio, el día se había convertido en un día de fiesta. Sonaba la gaita y el rumor incesante de los desconocidos que se saludaban y de los amigos que se encontraban. A medida que se acercaba el momento del eclipse, la multitud hacía más ruido, como si el ruido les hiciera sentir más seguros; como si, con los gritos, sus sombras fueran a crecer. Porque, de repente, las sombras se hicieron muy débiles sobre la Tierra y la luz cambió. Mi sombra tembló una sola vez como una vela que se apaga y desapareció. El sol robó nuestras sombras. Nos convertimos en fantasmas. Era el mediodía y, de pronto, fue el atardecer. Por los altavoces que el ayuntamiento había pagado, sonó un poco estridente la música de Bach. La luz se volvió blanca como la de una bombilla en un sótano. Osciló y se tambaleó y, luego, un atardecer eterno cayó sobre la Tierra. En ese momento, las dos o tres personas que seguían conmigo en el cementerio salieron corriendo y buscaron refugio entre la multitud. La gente se quedó en silencio mientras se hacía completamente de noche. Del globo de las autoridades nos llegaron chillidos de histeria. Como si un gato maullara sobre nuestras cabezas. Creo que todos nos alegramos de tener la tierra bajo nuestros pies. De poder tocarla.

Era una noche como ninguna otra que hubiéramos visto jamás. La tierra estaba tan fría como si estuviera muerta. Sentí frío.

Frío intenso, un frío que nunca has sentido antes. Frío porque se ha apagado el sol.

Luego sentí pánico y comprendí que así habían nacido las religiones. Comprendí que el que hubiera podido prometer en ese momento que el sol volvería, que la Tierra no había muerto, que el frío no acabaría alcanzando mi corazón, se habría convertido en rey y en sumo sacerdote. Porque, aunque todos sabíamos que el eclipse duraría poco, no pude evitar el clamor de mi cuerpo que se estremecía y dudaba.

La multitud estalló en gritos y comenzó a cantar y bailar.

Me di cuenta de que las gentes se reunían porque era demasiado terrible estar solos ante el eclipse. Necesitaban sentir el calor de los demás. Necesitaban hacer ruido. La muchedumbre gritó con una sola voz. Y entonces volvió la luz del crepúsculo. Hubo un gran suspiro y la música folclórica volvió a sonar, mientras todas las cosas volvían lentamente a la vida. La luz se volvió débil y amarillenta y las sombras reaparecieron, incompletas pero sombras al fin. Yo temí que mi sombra hubiera cambiado para siempre después del eclipse. Salí del cementerio antes de que el sol volviera a subir en el cielo. Tropecé con la tumba de un muchacho de dieciséis años. Caí de bruces. Me levanté y entonces vi a Satán a mi lado.

Selene

La tía Milagros cultivaba algunas plantas en la parte trasera de la casa, en un patio fangoso protegido por estacas de los cerdos que campaban a sus anchas por el camino. Allí tenía hierbas preciadas, como cicuta, cincoenrama, belladona o adormidera. Pero su planta favorita era un matojo de ruda que cultivaba en un cántaro partido. Todos los días la tía Milagros la cambiaba del sol a la sombra y de nuevo de la sombra al rigor del sol. Porque la ruda se agostaba al sol y perecía a la sombra, de manera que languidecía siempre y no prosperaba nunca. En vano se afanaba la tía Milagros en probar en su planta preferida abono de pájaros, ungüento de gallina, semen de toro u otros fertilizantes milagrosos porque la ruda se mantenía con dos tristes hojas en el leve territorio entre la vida y la muerte. De manera que ni dejaba libre el cántaro para una planta fuerte y nueva ni iba a parar al armario de hierbas de la tía, donde en primavera las plantas medicinales acababan en manojos, puestas a secar y clasificadas con sus hermosos nombres. Aquella ruda ni vivía ni moría, estaba allí para ser amada sólo por sobrevivir. Selene pensaba a menudo que ella era como aquella planta y por eso la quería la tía.

Ainur

Encontrar a Satán fue, desde luego, la cosa más importante que me ocurrió aquel año. Más importante que quedarme sin trabajo y aún más que ser violada y despreciada por aquel miserable politicastro.

Cuando era niña, había vivido por aquellos pagos sin sospechar que existían las ciudades. Creía que todo el mundo era así y que lo habitaban, como mucho, doscientas personas. Un mundo de vallas y cercados, de matojos y árboles frutales. En cualquier recodo del camino podías encontrarte un arándano o una serpiente. Los niños buscábamos ambos con igual desesperación.

Los únicos rascacielos que yo conocía entonces eran las montañas. Eran como torres de perfil dentado que vigilaban nuestro pequeño pueblo y acechaban el océano inmenso. En verano dejaban algunos días de ser negras y se convertían en azules, envueltas en una bruma perpetua que parecía un sombrero. En invierno eran blancas como el azúcar pero mucho más amargas, porque casi no había invierno en que no muriese alguien allí arriba, atrapado en un desfiladero, sepultado por un alud o roto en el abismo.

Se perdían en la niebla. Caminaban creyendo que el suelo era seguro para ellos, que sabían dónde estaban y quiénes eran, que se podía confiar en la tierra, y entonces llegaba la niebla.

Al principio eran unos jirones que parecían acariciarte, una mano fresca sobre tu frente como la que te alivia cuando tienes fiebre y, pronto, demasiado pronto, se convertían en un monstruo invisible que rugía a tu alrededor. La niebla te devoraba y quedaba poco de ti. Los lugareños sabían que la única defensa contra la niebla era cerrar los ojos y quedarse quieto. Pero los forasteros intentaban huir del monstruo, avanzaban a pesar de que eran incapaces de verse los cordones de los zapatos. Creían recordar el camino, creían ser capaces de salvarse. El sendero sin duda era por aquí, decía uno tropezando. Y el abismo se los tragaba para siempre.

Aparecían en primavera con el deshielo, el deshielo del año siguiente o el de treinta años después. Iguales a sí mismos, a salvo del tiempo para siempre, congelados en la eternidad en la que al final se transformó la niebla.

En 1967 se perdió un hombre del pueblo, el padre de mi mejor amigo, que entonces tenía un año. Apareció cuarenta años más tarde. Lo reconocieron al minuto porque creyeron que era a mi amigo al que habían hallado. Y mi amigo no pudo soportarlo. Fueron a buscarlo y le enseñaron en el fondo de un ventisquero su propio cuerpo congelado con el mismo gesto que él tenía mientras lo miraba. El cuerpo de su padre muerto con la edad que él tenía ahora: su espejo en el hielo, con sus mismos gestos, inmóvil para siempre su media sonrisa. Nunca sabemos cuánto nos parecemos a nuestros padres porque contamos con la benevolencia de los años que nos separan. Mi amigo se vio a sí mismo, vio a su padre tal y como era, como él había llegado a ser. Su doble, en el hielo, esperándolo. La impresión fue demasiado fuerte, cayó fulminado por un infarto. Y su madre no quiso que los enterraran en el camposanto, sino que yacieran juntos en la nieve casi eterna, congelados en lo profundo del glaciar, esperando que alguien, un tercero, ¿quién?, fuera a rescatarlos.

Porque así eran las gentes entre las que yo me había criado, las gentes que blasfemaban no para negar a Dios sino para ponerle de mala hostia. Las gentes que vivían atrapadas entre las montañas negras y el mar oscuro, aunque ambos se tiñesen a veces de blanco por la nieve y por la espuma. No sabían a quién temían más ni tampoco a quién amaban más. Porque, en los miles de años que llevaban allí, las montañas y el mar, sin dejar de ser enemigos, habían pasado a ser parte de ellos mismos.

Y luego estaban los que habían sido asaltados por el monstruo de la niebla en el monte y habían sobrevivido. Los que eran como yo. Habían sido capaces de quedarse quietos intentando asirse a algo sin perder pie. Cerrando los ojos con tanta fuerza que las lágrimas podían ser de sangre, y aguantando casi la respiración para que el monstruo pasase de largo. Y más tarde, como yo, habían abierto los ojos y habían visto la niebla que se alejaba. Habían visto sus pies, como los míos, a pocos milímetros del abismo y habían sabido aguantar y convertirse en roca y por eso, como yo, estaban vivos.

Selene

Desde que fue capaz de andar, su tía la llevaba a los brezales y a los bosques de castaños donde las hojas tejían una alfombra para las xanas. Buscaban verdolaga para las fiebres y pétalos de rosas rojas para cataplasmas. A menudo encontraban tomillo y bellotas que se molían, se mezclaban con unto de cerdo y se extendían sobre los forúnculos y las pústulas. Primero fue un juego, luego una escuela. En esos paseos, la vieja sanadora le enseñó las virtudes secretas de las hierbas. El mundo entero era el jardín de los remedios. Las medicinas no estaban en las boticas de los sabios sino que crecían por todas partes. En los bosques y en el matorral bajo. En lo alto de los árboles y bajo la tierra.

Extraer la raíz del tejo era laborioso pero muy eficaz a la hora de evitar los abortos y abrigar al feto en el seno de su madre. El altramuz era útil para preparar compresas calientes y abrir los abscesos. El cálamo de los pantanos exudaba un fuerte aroma que evitaba el deterioro de la memoria provocado por los humores húmedos y fríos. Las bayas de enebro podían hervirse para despejar las fosas nasales. Aprendió que el mirto y la malva sirven para las erupciones que escuecen y la hierbaluisa y el eneldo para las infecciones urinarias. Selene creía que no podría recordar tantos nombres, pero nunca olvidaba el aroma y el tacto de una planta ni dónde encontrarla. Porque algunos remedios crecían en la umbría y otros gustaban del sol. Algunos eran hojas, otros eran bayas, otros, raíces. A veces se usaba toda la planta y otras sólo una pequeña parte. También diferían los efectos según se usasen en cocimiento, en infusión o en cataplasma. Selene quería comprender la sabiduría de su tía que se le antojaba sobrehumana.

—Para todos los males que Dios puso en el mundo, puso también el remedio —decía su tía Milagros— y sólo es menester encontrar qué parte de qué planta contrarresta cada veneno.

—¿Y tú cómo lo has aprendido?

—Yo lo aprendí de mi madre, y ella de la suya. De hija mayor a hija mayor. Y ahora tú eres mi hija y te lo enseño.

—¿Y cómo lo aprendieron ellas?

—Observando, probando, mirando con las manos y viendo con la intuición, que es el gran ojo del alma. Cada una de nosotras tiene la obligación de aprender algo nuevo y la obligación de enseñárselo a alguien. Si todas lo cumplimos, llegará un día en que seremos como dioses.

—Como diosas —corrigió Selene.

Aínur

Pensé que todo había terminado. Volví a salir a la calle, dejé de utilizar gafas oscuras y de volverme sobresaltada cada vez que alguien caminaba detrás de mí. Hacía la compra en el gran mercado lleno de flores, de ruidos y de pollos despedazados y el mundo estaba casi bien. Pensé que se habían olvidado de mí, al fin y al cabo yo era la gran perdedora.

Entonces llegó el primer anónimo.

Nadie sabía que vivía allí, en el número 13 de la calle Martí. Me había mudado para no tener que dar explicaciones. Huyendo de mis vecinos y de mi alcalde y de las declaraciones que yo debía hacer en el juicio. Durante años me había empeñado en vivir, en comprar un piso, en tener una hipoteca. Creemos que lo que compramos es para siempre, no nos damos cuenta de que siempre estamos de alquiler. De alquiler en nuestras casas y en nuestros cuerpos. Compramos, por ejemplo una vivienda, que será nuestra sólo el tiempo que nos quede de vida, pero ser propietarios nos da ilusión de eternidad. Hemos comprado algo «para siempre», para lo que dure ese siempre. Ahora era feliz de estar de alquiler, era feliz de haber aceptado finalmente que las cosas no son para siempre. Me sentía más ligera. Ahora todo era prestado, todo era provisorio, todo era de alquiler y el mundo se había hecho un poco más grande.

Me gustaba vivir en Barcelona. Adoraba ir al Mercado de la Boquería y bajar por la Rambla de los Pájaros, compadeciendo a cada ratón enjaulado y volando con los colores de los papagayos. Soñaría muchas veces que bajaba por esa rambla abriendo todas las jaulas. Los vendedores salían tras de mí enfurecidos y una muchedumbre de hámsteres, de conejitos de colores, de tortuguitas, de loros, de canarios, de urracas, gallinas y pavos reales subía como una procesión multicolor hasta el Paseo de Gracia como si las vidrieras de Gaudí hubieran cobrado vida al final de los tiempos.

Me gustaba el olor a calamares fritos en la Barceloneta y pararme a hablar con las echadoras de cartas en la Plaza de Cataluña y perderme en el Borne por la noche, lejos de todo y hasta de mí misma.

Hablaba con todo el mundo pero no le decía quién era a nadie. Utilizaba mi primer nombre que, como el de muchas otras españolas, es María.

Había cambiado de ciudad, de amigos, de lengua y casi de religión. Probablemente acabaría perdiendo el juicio en segunda o tercera instancia pero habría valido la pena.

Y entonces recibí la carta. Subí la escalera, canturreando, acababa de conocer a alguien, me parecía que volvía a la vida y que mi historia de amor con Barcelona estaba pasando rápidamente de idilio a matrimonio casi burgués. Siempre dejaba una lámpara encendida en el recibidor de la casa, desde niña he tenido miedo a la oscuridad y desde niña he deseado que alguien me esperara en alguna parte, que alguien saliera a recibirme al llegar a casa. Por eso dejaba la luz encendida, como un faro. Proyectaba sobre la entrada de mi casa un resplandor rectangular como el de un felpudo invisible que me diera la bienvenida. Aquél era un día ventoso. Era octubre y apenas comenzaba a hacer frío, pero me estremecí al ver el rectángulo oscuro del sobre en el rectángulo de luz. Un sobre sin sello y sin remite. No lo habían echado en el buzón sino debajo de la puerta, donde estaba obligada a verlo. Nadie podía escribirme, nadie sabía que vivía allí. Traté de respirar con lentitud y de calmar mis manos que, frenéticas, querían encender un cigarrillo. Seguro que es una tontería, un mensaje de cualquier vecino, una publicidad.

Pero no era así. Rasgué el sobre y, antes de terminar de leer las tres líneas, ya me estaba precipitando al dormitorio. En menos de media hora cogí lo que me cupo en una sola maleta, dejé una nota en la cocina y paré el primer taxi que pasó por la Travesera de Gracia. Entonces me di cuenta de que no había soltado el anónimo, que me quemaba en la mano. Lo arrojé desde el tren, apenas dejamos atrás la Estación de Francia, como se arrojan al mar los muertos.

Selene

Los domingos mi tía me despertaba a las cinco de la mañana para ir a misa. Yo sentía cómo me sacudía desde un mundo mejor y muy lejano y procuraba quedarme en aquel mundo todo el tiempo posible. Detestaba los oficios divinos que duraban cinco o seis horas y pasábamos de pie al fondo de la iglesia sintiendo cómo nos dolían los pies y los oídos, pues el párroco era un gañán cuya única virtud era vivir con una barragana bella, joven y bastante más inteligente que él. Mi tía Milagros decía que debíamos ir sólo para que no murmuraran que no acudíamos a sagrado.

—Tienes demasiado miedo, tía, y yo demasiado sueño.

Como siempre no le podía negar nada a mi tía ahora que estaba empequeñeciendo con la edad. Parecía una niña con sus trenzas blancas antes de hacerse el moño. Sus ojos azules de pájaro eran lo único que no había cambiado desde que me acordaba de ella.

Yo sentía los pechos aplastados por las sayas y los refajos que había heredado de mi tía. Me había hecho mujer y eso me parecía una gran tragedia, aunque no sabía para quién.

Solía darme asco tomar agua de la pila del agua bendita, porque a menudo estaba sucia de las muchas manos que la habían desflorado y llevármela a los labios era contrario a toda la ciencia que me había enseñado mi tía. Así, aquella mañana de San Juan cuando el muchacho del gabán rojo se acercó a mí y me dio el agua bendita, lo primero que me hizo feliz fue que estuviera limpia y cristalina como si hubiera bajado en ese momento del cielo. Lo segundo que pensé fue en los ojos verdes. El chico era como un ángel de los que estaban pintados en las paredes. Después por un largo rato no pude pensar en nada más que en el fugaz contacto de su piel con la mía. Sentía cómo mi vientre se volvía de aceite, y cómo mi mente caía en algo blando que me hacía cosquillas por todo el cuerpo. Él se quedó a mi lado durante todo el oficio a pesar de que iba vestido como un caballero y le correspondían otros asientos. De vez en cuando su mano rozaba la mía y volvía a sentir el mismo calambre que la primera vez. No me atrevía a alzar los ojos por miedo a que él se diera cuenta de lo pequeña y fea que yo era. Así que permanecí inmóvil con una expresión tan arrobada que todos pensaron que estaba rezando.

—Pareces muy piadosa.

Al principio no podía creer que aquella voz tan fuerte viniera de un muchacho tan delicado. Pero era él el que había hablado. Volvió a darme otra vez el agua bendita y yo ni siquiera me santigüé. Estábamos saliendo de la iglesia, yo no me había dado cuenta de que había terminado la interminable misa y de que las gentes me empujaban hacia fuera.

Pronto estuve rodeada del olor de los granjeros. El muchacho había desaparecido y hubiera creído que había sido una imaginación mía si no fuera por la regañina que me echó mi tía por hablar con desconocidos y por una cosa más. En la mano me había nacido como si fuera una planta un bulto extraño. Cuando pude mirarlo a solas vi que era un trozo de pergamino. Un billete.

De Samuel.

Ainur

El revisor del talgo de Barcelona a Asturias de las 19.30 se llevó un susto de muerte. Por un momento, creyó que la pasajera del asiento 6A había muerto.

Estaba pálida e inmóvil como si fuese de cera. Se acercó a ella y no pudo sentir su respiración. Tratando de no alarmar a los otros pasajeros, empujó suavemente el cadáver hacia la ventanilla. Aquel cuerpo se estremeció y la mano de la muerta tocó una cicatriz casi invisible en su barbilla. En ese mismo momento, la luz pareció volver a los ojos que se tornaron verdes y lo miraron.

—¿Se encuentra bien? —acertó a preguntar.

—Sí, claro —contesté.

Y volví a acariciarme la cicatriz que me había hecho al golpearme la cabeza contra el lavabo en aquel baño del hotel Amigo hacía tanto tiempo o tan poco, según se mirase. Yo era una joven licenciada y aquél era mi primer viaje a Bruselas. Todavía no había cobrado mi primer sueldo y estaba entusiasmada. Me entusiasmaba todo lo que luego llegaría a cansarme: el aeropuerto, con sus interminables alfombras de metal transportando viajeros y maletines; la delegación de alcaldes españoles uniformados con corbatas italianas y trajes azul marino, excitados como niños con zapatos nuevos en medio de las lenguas extranjeras, de las damas cubiertas con túnicas negras que les tapaban hasta los ojos, de los hombres trajeados con turbante, de la turba variada y exótica del aeropuerto que era como otro país, un país en el que luego pensaría que había transcurrido toda mi vida. Pero aquel día era el primero en que yo esperaba en la cola para el control de pasaportes. Sonreí al policía que comprobó tres veces mi identidad y al taxista que me llevó al hotel Amigo, cerca de la Grand Place. Incluso sonreí a mi flamante presidente, un hombre un poco grueso, cuya barriga enorme me pareció a la luz mortecina de Bruselas la mejor prueba de su bondad.

A medida que recuerdo, la cicatriz vuelve a dolerme y yo me convierto en ella, porque es evidente que, aunque tenga la misma cicatriz, ya no soy la misma persona que era: aquella chica de veinticuatro años la noche de su primer viaje de trabajo. En el momento justo, a las once y cuarto, y tras una cena copiosa en el mismo hotel sonó el teléfono de su habitación. Acababa de ducharse y estaba viendo la CNN para practicar el inglés que había estudiado en Brujas y que, de momento, no le había servido para nada, porque la Comisión estaba llena de gente demasiado amable que hablaba siempre español. Tenía el pelo mojado y los ojos llenos de jabón.

Era la voz de su jefe, el presidente gordo y simpático. Le pedía que le llevara unas toallas a la habitación.

—¿No puede pedirlo a recepción?

—No, ven inmediatamente, te lo ordeno —dijo la voz. Y colgó.

No le habían dicho si debía ser dócil pero ella quería que todo saliese bien, que se llevasen bien desde el principio; pensó que su jefe no sabía hablar inglés, pidió un juego nuevo de toallas a la gobernanta y llamó a la puerta enmoquetada. El número de la habitación era el 513. Había olvidado muchas cosas pero no olvidaría ese número.

Su presidente la esperaba en albornoz. Ella había vuelto a ponerse el traje de chaqueta aunque tenía el pelo mojado. Dejó las toallas sobre una silla pero, antes de que pudiera darse la vuelta, él la tomó del brazo.

—Chúpamela.

—¿Qué?

—Que me la chupes o estás despedida.

No podía creer que aquello le estuviera pasando a ella. Inmediatamente pensó que había hecho algo mal, quizá el escote era demasiado pronunciado o sonreía demasiado. Trató de abrir la puerta y huir mientras se excusaba.

—Yo, no, ¡ayyyy!

Él no soltaba la presa. Hizo fuerza y sintió cómo sus manos hacían cepo. Vio cómo sus uñas se clavaban en su brazo. Estaban negras de suciedad y le dieron ganas de vomitar.

—Suélteme —le dijo—, puede despedirme.

—Pero no es eso lo que quiero —dijo él, y la agarró del pelo para arrojarla sobre el baño de mármol.

Cayó sobre el lavabo dejando un rastro rojo en la blancura del suelo.

Le dolía siempre cuando llovía, o cuando estaba nerviosa como hoy, y lo otro... lo otro dolía más. Ella creía que lo había olvidado pero, como los cadáveres de los ahogados, el asqueroso recuerdo volvía a la superficie en cuanto se descuidaba.

Durante años había empleado todos los palos de su mente en ahogar ese recuerdo. Después de ganar el juicio pensó que lo había conseguido.

Suspiré y, por unos pocos instantes, mientras el paisaje de Castilla se deslizaba a toda velocidad hasta volverse un garabato verde, sentí que yo volvía a ser yo.

Ése fue el tren que me llevó hasta Satán. Aunque primero me trajo aquí.

Mis profesores decían que el mundo fue creado por Eros y Tánatos. El amor y la muerte. El rojo y el negro. Mis profesores subestimaban el miedo. Porque el miedo también creó el mundo.

El miedo me había traído aquí, al pueblo de mi abuela, a un refugio físico en las montañas del norte y un refugio psíquico en la historia de una comadrona perseguida injustamente como yo y asesinada brutalmente tal y como podría llegar a ocurrirme a mí. Pero ni siquiera aquí había dejado de tener miedo. Por eso, para enfrentarme a mi miedo, había ido sola al cementerio durante el eclipse y había rogado que pasase algo.

Y había conocido a Satán.

No era la primera vez que lo veía. Llevaba semanas vagabundeando por el pueblo. Aparecía y desaparecía como una sombra. Fue la vieja calva de la tienda, la del pañuelo negro, la del ojo de cristal, quien me dijo que se llamaba Satán.

—Chucho del diablo, *quebrenche os oyos* —aseguró.

Y, desde entonces, el perro vagabundo me cayó bien. Era de los míos, de esos que no son queridos en ninguna parte pero que siguen tirando y no descartan al final salirse de algún modo con la suya.

Decían que el perro era hijo de un lobo y una perra del pueblo. Decían que aparecía y desaparecía en la niebla, que él mismo no era real sino que estaba hecho de jirones de niebla. Decían que estaba maldito. Que no se dejaba tocar por nadie, que había mordido a dos niños.

—Vale, yo también estoy maldita.

Y allí estaba el perro a mis pies, enorme, inerme, temblaba tendido bajo el eclipse. Tan grande como un oso, tan indefenso como un cachorro. Lo acaricié y resopló. No le tenía miedo. No me tenía miedo.

Selene

Se había desgarrado el gabán rojo saltando la valla del corral pero no importaba porque yo nunca había visto a nadie tan lindo, ni tan bien vestido, su atuendo tenía tantos adornos que parecía el de una muchacha. Olía a violetas y a almizcle. Luego me contó que con tal de agradarme había agarrado el pomo de esencias de su madre y se le había ido la mano. Yo me sentía mareada no por el aroma dulzón del perfume ni por la fetidez nauseabunda del estiércol donde estábamos sentados. La cabeza me giraba desde que había acudido a aquella cita a ciegas en los establos y sobre todo desde que él había puesto su mano en la mía. El billete lo había dicho bien claro. Él tocaría tres veces la choca de la vaca más vieja y yo sabría que debía escabullirme con cualquier pretexto y como si fuera menester alguna necesidad sin nombre acudir presta a nuestro edén de boñigas. Estábamos sentados sin hablar porque ninguno sabía qué decir. No creo que él tuviera tan poca experiencia con las mujeres como yo tenía con los hombres a juzgar por la maña que se dio con el billete pero ahora sus arrestos le habían abandonado. Me confesó que temía las artes de mi tía, de la que le habían dicho que era una temible hechicera. Aquello me hizo reír.

—No es más hechicera que tú y que yo.

—Pues tú eres muy hechicera, Selene, cualquier hombre caería rendido por la magia de tus ojos.

Yo no sabía que los hombres pudieran hablar como los libros pero no hizo falta que me dijera que era bachiller.

—Como soy el hijo menor, mis padres quieren que me haga sacerdote.

—¿Y tú quieres?

—¡Quia! Yo qué voy a querer. Habiendo en el mundo tetas como las tuyas.

Y alargó la mano hacia mi seno. Yo se la cogí con fuerza y me la llevé a la boca.

—¡Ay, ay, ay! ¡Me has mordido!

—Y tú me has tocado.

—Ha sido sin querer.

—Pues lo mío ha sido queriendo.

Ése fue el primer día, a partir de entonces casi todas las tardes y muchas madrugadas yo acudía a la llamada de la campana de la vaca *Galana* como si acudiera a la llamada de los ángeles.

El segundo día Samuel se disculpó por su comportamiento y para compensarme me regaló la que dijo ser su posesión más valiosa, un *Lazarillo* editado en Flandes en 1554. Yo nunca había poseído un libro aunque mi tía me hubiera enseñado a leer. Lo apreté contra mi pecho. Era como tener un trozo de cielo.

—Ten cuidado, porque es un libro prohibido.

—¿Ha hecho mal a alguien?

—Cómo va a hacer mal si es un libro.

—Pues entonces, ¿por qué lo prohíben?

—Porque ellos prohíben todas las cosas buenas, prohíben los libros y las mujeres.

Deberían haber prohibido a los hombres, porque un día la campana dejó de sonar. Yo perdí el apetito, la color, las fuerzas, no me levantaba ni siquiera de la cama. Mi tía probó conmigo todos sus remedios, y luego me atiborró con infusiones de ruda.

—Por si fuera mal de amores.

—¿Puede la ruda curar el amor, tía?

—El amor es enfermedad incurable. Incluso para mí. La ruda puede paliar sus efectos más nocivos y duraderos en muchacha tan joven y casadera.

No dije nada pues también yo conocía las virtudes de la ruda, única hierba capaz de evitar que la semilla germinase en la mujer, no en vano era la mejor y única alumna de mi tía.

La ruda no me curó, me agostaba como las plantas cuando les falta el agua, y creo que nunca me hubiera alzado de mi jergón si no hubiera sido por las palabras que mi tía me arrojó como pedradas una tarde cuando comenzaba la calor.

—Dicen que la familia de la casa grande se ha ido casi sin despedirse del pueblo, dicen que el hijo menor que estaba a punto de cantar misa se había enamoriscado y planeaba escaparse y también dicen que eso no es cierto, que lo cierto es que el padre andaba metido en deudas de juego y en lugar de saldarlas ha puesto pies en polvorosa. No lo sé ni quiero saberlo, sólo quiero que te pongas en pie y aprendas cómo hacer que los demás se levanten.

Consuelo

La chica volvió al pueblo contando el rollo ese de la tesis doctoral y que si la meiga, y esto y aquello. Yo no me fié, aunque me enseñaron los periódicos con las noticias del juicio y vi en la tele lo de la desaparición. A pesar de eso, qué quiere que le diga, señor periodista, ya sé que Ainur es un nombre muy poco corriente pero es que una no se imagina que alguien que conoce desde niña salga en los periódicos, aunque sea ella.

En el fondo es que creemos que nadie que compre en la tienda de una puede llegar a nada, ni siquiera a que la amenacen, para que te amenacen tienes que ser alguien o haber hecho algo. A mí nunca se ha atrevido nadie a amenazarme. Ni yo lo hubiera permitido, no se piense usted. Así que si a ella la perseguían es que algo habría hecho, ya sabe usted cómo son esas cosas.

Yo no sospeché nada, señor periodista. Debe de ser que estoy perdiendo facultades, no lo relacioné, no caí. Ninguno del pueblo sospechamos nada, cómo íbamos a sospecharlo de aquélla.

Ay, si lo hubiéramos sabido, pero no lo sabíamos, éramos como niños, señor periodista, como niños a los que llevan engañados al dentista. Y eso que a mí aquello no me gustó nada porque yo, cuando la vi con el perro, bien que me mosqueé y cuando la vi que empezaba a andar con el cojo, entonces se me puso la mosca detrás de la oreja. Ya era demasiado tarde.

Aínur

No quería salir de casa. El hambre me obligó. En la casa no había nada de comer. Ni siquiera había frigorífico. No tuve la precaución de hacer la compra en la última ciudad, uno cree que el campo está lleno de alimentos pero, en nuestros días, sólo las tiendas están llenas de alimentos. Recordaba la tienda del pueblo, un mostrador por encima del cual se servían vinos y cafés y se vendían guadañas y alcayatas. Algunas cajas de frutas, ristras de ajos, enormes cacerolas de aluminio, hachas, palas y aperos que nunca supe si eran de labranza porque la única utilidad que yo les veía era la de enterrar a la gente. Madreñas con dibujos geométricos como las que hacía mi abuela y azúcar y café y a veces un poco de conversación. Estaba segura de que todo eso habría desaparecido. Me sorprendió ver que nada había cambiado. El mismo mostrador de ultramarinos, con aire de haber sobrevivido a la guerra de Cuba, y dos cosas que no recordaba: una cocina de carbón encendida aunque ya estaban las mimosas en flor y una vieja con aspecto de bruja, un ojo de cristal y un mandilón de cuadros. Por su edad parecía estar allí desde siempre. Pensé que era la primera vez que la veía. Demasiado tarde la reconocí como la mujer que me había abierto la casa de mi abuela.

Compré casi todas las cosas de comer que tenía a la vista. Me hizo la cuenta en un papel a rayas y no me sonrió ni una vez. Pensé que debía de ser su única clienta pero, en ese momento, entraron en la tienda un hombre y una mujer. Altos, rubios, como vikingos bajados de una nave pirata. Con las caras arrugadas y felices como las manzanas maduras. A ella le faltaba la pierna izquierda, llevaba el pantalón prendido con un alfiler. A él le faltaba la pierna derecha, llevaba el pantalón arremangado y cosido en torno al muñón.

Los saludé. La tendera les sonrió para marcar las diferencias, metió mi compra en grandes bolsas de papel marrón y sólo entonces me habló en voz baja:

—Debes irte de aquí, hija mía, el Diablo anda suelto.

Los dos gigantes rubios, que parecían garzas con una sola pierna, compraron varios kilos de comida para gatos y muchos litros de cerveza. Me pregunté qué comían ellos. Quizá la comida no era importante. Parecían ser de otro planeta donde, a esas pequeñeces como comer y dormir, les dan su justo valor. En mi pequeño asteroide cuando tengo hambre soy incapaz de pensar. Traté de trabar conversación. Tal vez fuera interesante saber más cosas de su planeta. Me sonrieron pero no dijeron nada. Quizá eran extranjeros.

Las bolsas pesaban mucho. No me hubiera venido mal un poco de ayuda.

Si veo a otro cojo en este pueblo, estaré a salvo, pensé. Y ni siquiera me di cuenta de que, en ese momento, estaba volviendo a ser niña, volviendo a esa costumbre que me había protegido en los días de mi niñez: la de hacer apuestas conmigo misma para ganárselas al destino.

Recorrí el pueblo, tan pedregoso y tan solitario como yo lo recordaba, sin cruzarme con nadie. Casi en la puerta de casa me tropecé con una señora mayor vestida con una chaqueta parda como la que a veces llevan las monjas, el cabello blanco recogido en una cola de caballo y una caja de comida para gatos en una mano. En la otra, sostenía un bastón.

Le faltaba la pierna izquierda.

Me pesan las piernas. Sopla nordeste y quiero llegar a casa. Estar a salvo. No es que sienta que esta casa es mía. No lo es. Igual que este pueblo no es mi pueblo. Si no veo a nadie antes de llegar a casa estaré a salvo, me digo, y cruzo los dedos porque he hecho trampa, porque una y otra vez paseo por el pueblo sin encontrar ni un alma. Doblo la esquina y me topo con un hombre alto, vestido con una gabardina de cuero negro. Gafas negras aunque ya es casi de noche. Pegado a él, como si le siguiera, está mi perro. Satán. El perro del eclipse.

El hombre se agacha y lo acaricia. Me sonríe.

—¿Este perro es tuyo? —le digo.

Hace un gran gesto con la mano.

—En absoluto, es tuyo. Y no lo estás cuidando muy bien. Está enfermo —dice. Se pone de pie, agachado parecía más alto. Me doy cuenta de que tartamudea un poco.

—¿Cómo te llamas? —pregunto, pero ya se ha ido.

Ésa fue la primera vez que vi al Señor Oscuro.

Llevé a Satán a casa. Estaba empapado, aunque no había llovido; tenía el pelo de punta y la mirada triste de los que no han comido hace mucho, muchísimo tiempo.

Le di mi cena: un solomillo sin ensalada. Se lo zampó de un bocado y me dedicó una mirada alargada. A los pocos minutos estaba vomitando. Me maldije por no haberme dado cuenta de que llevaba días, semanas quizá sin comer. Después de tanta hambre, la comida, cualquier comida, era veneno.

Satán era un perro grande pero parecía mucho más pequeño cuando se acurrucó a mis pies. Me senté junto a él y se subió a mi regazo. Era como tener un oso encima, pero Satán no pesaba. Temblaba y estaba muy caliente. Sentía su corazón como si estuviese latiendo entre mis manos. Supe que se estaba muriendo y lo abracé. Lo abracé fuerte, fuerte y sólo entonces me di cuenta de lo sola que me había sentido hasta aquel momento. Apoyé mi cabeza contra la suya y sentí el olor del monte, el de la libertad y un olor que poco a poco devoraba a todos los demás: el olor del miedo. Sin embargo, no pude decir si el miedo era el suyo o el mío. Lo acuné y le canté una nana. La única nana que sabía. No pude recordar dónde y por qué la había aprendido. Nunca me han gustado los niños. No tenía hermanos ni sobrinos, pero entonces pensé que mi nana era hermosa. Porque le cantaba y lo acunaba poniendo mi vida en ello. Tardé mucho en darme cuenta de que las palabras que repetía eran:

—No te mueras, no te mueras.

Me quedé dormida, a pesar de que no quería quedarme dormida. Quería estar hasta el final. Quería que, si el perro abandonado moría, sintiese que no había muerto solo, porque sabía que todos morimos solos y no tenemos nadie a quien contarlo. Por eso luchaba contra el sueño mientras el reloj de la torre en la plaza del pueblo daba las tres.

Me quedé dormida y soñé que, al despertar, Satán estaba muerto entre mis brazos.

Desperté entumecida, hecha un ovillo sobre el viejo sofá raído que la viuda Rius regaló a mi abuela.

Los ratones habían mordisqueado la tela del sofá y luego lo habían abandonado como si no fuese bueno ni para comérselo. La tela del sofá era blanca con grandes manchas marrones. De pequeña creía que las manchas eran de sangre, ahora no sabía qué eran. No parecían parte del tejido, tampoco eran algo añadido. Las manchas de «sangre» eran el sofá, del mismo modo que el grifo que goteaba en la cocina era la respiración de la casa. La casa de una mujer extraña que se la había dejado en herencia a otra mujer extraña. A mi abuela.

Me desperté y eché de menos algo que nunca había tenido. Faltaba algo esencial pero no sabía qué era. Recordé de nuevo el proceso, los anónimos, las amenazas de muerte, los matones de mi jefe, la huida, el eclipse, el encuentro con el perro al que llamaban Satán.

Recordé a Satán moribundo en mis brazos. Ya no estaba allí. Me levanté y lo busqué por toda la casa. Temí que se hubiera arrastrado a morir a algún sucio rincón. Si existe el pudor de vivir, también un perro puede tener el pudor de morir. Lo más terrible de ser un animal doméstico es tener que vivir en público, pensé que quizá Satán había querido morir a solas.

No había rastro de él en el zaguán lleno de viejas cestas, de bastones y de paraguas rotos, por el que se filtraba un rayo de luz en el que flotaban miles de motas de polvo; no lo encontré en el desván vacío donde algunas patatas resecas y un zapato roto recordaban el pasado; ni en la galería por donde el monte y el mar entraban a dentelladas en la casa. Recorrí todas las habitaciones gritando su diabólico nombre. Sólo me respondieron mis pisadas contra la madera de roble del suelo que se quejaba débilmente a mi paso. Cerca de lo que habían sido los establos, resbalé y casi me caí por el agujero abierto en un tablón. Daba a una de las trampillas que, en el pasado, habían servido para arrojar la hierba seca a los animales. Temí que se hubiera caído por allí; me asomé, pero sólo encontré unas madreñas rotas y una bota de vino arrugada y sin dueño. Llegué a la cocina vieja, donde había estado el lar y el gran horno para cocer pan y la artesa de madera en la que mi abuela me había enseñado a hacer empanada. Lo único que encontré fueron telarañas y recuerdos, pero ni rastro de Satán.

Volví al sofá de las manchas y hundí la cabeza entre mis piernas. De manera extraña, un ser peludo, al que hace unas horas ni siquiera conocía, era entonces lo más importante de mi vida. Y no sabía dónde estaba.

Satán había desaparecido.

Selene

Mi tía Milagros no me dejaba jugar con las demás niñas del pueblo.

«No te enseñarán nada —decía—, sólo a ser esclava».

Pero tampoco me cargaba de la mañana a la noche con trabajos como les ocurría a ellas en sus casas. No tenía que ir todos los días a por leña, a por agua; no había animales que ordeñar ni hermanos pequeños que vigilar. Eso sí, si alguna vez me enviaba a por brezo para el fuego o a por troncos secos o a pedirle huevos a la vecina. En esas raras ocasiones lo esperaba todo de mí, no servía decirle que no los había encontrado o que no me los habían querido dar. El afán de no decepcionarla fue el tormento de mi infancia.

«Tú tienes que ser perfecta porque eres mía», decía.

Yo la llamaba mamá y a ella le gustaba. Compartíamos el mismo lecho. En la oscuridad la voz de mi tía me adoctrinaba sobre el verdadero arte de la medicina, el que ignoraban los doctores sacacuartos.

—Nuestro negocio es otro, curamos el cuerpo de las gentes, y sobre todo curamos su avaricia, su mala conciencia, su mezquindad y su falta de miras, les damos una oportunidad de volver a tener salud, de perdonarse a sí mismos todo lo que se han hecho, para eso hay que saber mucho de hierbas pero mucho más de almas.

Durante el día, mi tía Milagros me llevaba a recoger hierbas, me enseñaba a distinguir la digitalina de la manzanilla y la belladona del diente de león. Algunas hierbas eran fáciles de encontrar, otras, casi imposibles. Las más, las recogíamos en los campos; algunas, mi tía las cultivaba en el huerto detrás de la casa.

—Mi madre me enseñó y mi abuela enseñó a mi madre. Las mujeres siempre hemos cuidado a los niños, a los viejos, a los moribundos, a los enfermos. En los tiempos en que todavía guerreábamos contra los árabes, las mujeres iban con sus maridos a la guerra para curarlos. Ahora dicen que, para ser médico, hay que ir a la universidad, a esos antros de piedra que han levantado en Santiago, en Salamanca, y ahora en Oviedo, lugares prohibidos a las mujeres. Sólo puede curar el que ha estudiado en ellos. A las mujeres no las dejan siquiera traspasar el umbral. No podemos curar. Somos proscritas. Y si no podemos curar, tampoco podremos ya cuidar a los niños, a los viejos, a los moribundos. ¡Ah! ¡Eso sí! Sin embargo curar a los enfermos y salvar a las mujeres de morir de parto nos está vedado, es sólo para ellos como todo lo que trae consigo dinero y prestigio. Pues no, no será así, mientras esté por aquí la vieja Milagros.

Aínur

Salí a la calle. El pueblo estaba desierto. Había llovido mientras dormía y regueros de agua sucia corrían a ahogarse en charcos llenos de hojas secas. Del fondo de la calle venía una niebla espesa. Avanzaba hacia mí y lo cubría todo. En unos minutos, no fui ya capaz de distinguir la ermita. La niebla se había tragado al perro negro. Pero había dejado algo. Era un olor extraño y penetrante que me hizo estornudar. Un olor que se metía por la nariz y dejaba un nudo en la garganta. Olor a hojas podridas, a madera quemada, olor a incendio y olor a tierra. Nunca había olido algo así. Supe que volvería a olerlo. La niebla se había llevado a Satán y me había dejado el hedor y los charcos.

El mantel era blanco, la sangre formaba sobre él el contorno de un continente extraño. Podría ser África pero se parecía más a América. Yo necesitaba encontrarle alguna lógica, algún parecido. Necesitaba darle alguna excusa a mi cerebro para que mi grito no se oyera en todo el valle.

El mantel había viajado conmigo desde Barcelona, pero era mucho más antiguo, me había acompañado en los tiempos del acoso de mi presidente, durante el juicio y a través de las amenazas, los anónimos y los insultos. Había sido uno de los regalos de boda de mi madre. Se lo había regalado su suegra. Perteneció a su ajuar. Había pasado de novia a novia, hasta llegar a mí, que nunca lo he sido. Y ahora estaba empapado en una sangre espesa que se volvía negra por momentos. Sólo es un pájaro, dije. Hablaba en voz alta para reconfortarme con el sonido de mi propia voz, pero mi voz no se parecía a mí, era ronca y gutural como si otra persona hablase en mi lugar.

Y, mientras, en mi boca se acumulaba la sal y la amargura de las primeras lágrimas.

Habían transcurrido siete días, trece horas y exactamente treinta y cuatro minutos del regreso de Ainur a la aldea perdida de su infancia cuando apareció el primer pájaro muerto. Era un cuervo.

El perro negro.

A todas horas y en todas partes veo una y otra vez al perro negro.

Trato de refugiarme en la historia de Selene, en su lucha contra el Tribunal, de la que hay numerosos testimonios en las crónicas de la época, y vuelvo a ver al perro; el pasado deja de ser un espejo de mis miedos. Se ha convertido en una cosa muerta que no tiene nada que ver conmigo. Porque el perro tiene todo que ver conmigo. Lo sé.

Cuentan que Selene hablaba con los lobos, que sabía conjurarlos y que un inmenso perro negro la acompañaba siempre. Algunos decían que era un lobo, otros que era el mismísimo Diablo.

Un perro grande como un pastor belga con mucho pelo. Creo verlo a todas horas, entre la niebla, en el humo de las chimeneas. Oigo cómo cae el agua de los canalones y se estrella en las piedras y allí, atravesando un campo de berzas, está el perro negro.

Me parece que es Satán pero, al acercarme, lo veo distinto. Echo a correr y el perro echa a correr. Me paro y él se para. Aparece y desaparece entre la bruma que sube del mar y la niebla que baja de las montañas.

Trato de seguirlo pero nunca lo encuentro hasta que, un día, persiguiéndolo, conozco al remero.

Corro por el sendero. Si consigo alcanzar al perro negro querrá decir que los que me buscan no podrán encontrarme. Si vuelvo a tocar al perro no ganarán los malos. No me cogerán. No, esta vez. No.

El sendero desemboca en una ría, veo la niebla que sube como el vapor de un guiso delicioso hacia el cielo gris. Y veo al remero.

Me gusta la ría, me gusta la isla con el cementerio y el agua salada que fluye como un río. Vengo aquí cuando el sol se debilita y comienzo a ver al remero todas las tardes a la misma hora. Lleva un jersey azul. Estoy segura de que sus ojos son azules. Tiene un aire familiar, me parece que lo conozco de algo. Me recuerda al único amigo que tuve en mi infancia, el mismo que se marchó con sus padres a Bilbao a los nueve años. Desde que se fue, las montañas negras no volvieron a dejar pasar el sol hasta el valle. En aquel tiempo yo no sabía el nombre de la ría. Entonces aquellas montañas estaban llenas de lobos, de noche se les oía y era imposible adivinar si aullaban o gemían. Ya no hay lobos y sigo sin aprenderme el nombre de la ría. Sé que es el de una diosa que habitó aquí mientras los hombres creyeron en ella. Ya no creo en los dioses ni en las diosas. (Ya nadie cree en los dioses ni en las diosas). En la ría, estamos solos. Él y yo.

El remero se acerca de improviso y me sonríe, yo también le sonrío. Se acerca a la orilla y vuelve a alejarse, me acerco a la orilla y él se aleja. Parece un espejismo, pero un espejismo que se ríe.

El torso del remero sube y baja. Se notan sus músculos. Aunque está demasiado lejos, sé que tiene el ceño fruncido. No lo veo, lo adivino.

Los cuervos han empezado a volar en círculos sobre la vieja casa de la viuda Rius, la que murió sin decir palabra. Son letras en el aire. Letras negras que dudan, quieren formar una palabra en el cielo pero no se atreven.

Parecen notas musicales sobre un pentagrama de nubes oscuras esos cuervos que se reúnen de repente como si fueran roqueros. El cuervo es un ave solitaria. Le prestó buenos servicios a Edgar Allan Poe. Pero, en el mundo real, ya casi no se ve ninguno. Aquí las reinas siempre han sido las gaviotas. Los cuervos siempre han tenido mala prensa y las gaviotas siempre han sido populares. No soporto a las gaviotas. Ratas del aire, acaban con los peces indefensos de la bahía. Me gustan en cambio los cuervos. No le hacen daño a nadie. Pero son impopulares. No se les quiere. Como a mí.

Selene

Vimos los cuervos antes de ver la casa. Volaban en círculos gimiendo como bebés lastimeros. No había ni un árbol, ni una fuente ni una gota de agua, ni un alma. El aire era caliente y traía pestilencias desde el otro lado del río, tan lejano ahora. No podía creer que hubiera vida en aquella desolación y sin embargo allí estaban los cuervos.

—Buena señal —dijo mi tía—, los pájaros sólo volarían así en torno a un lugar de gran poder.

—¿Falta mucho? —pregunté.

—No lo sé —dijo mi tía—, sólo sé que vamos por buen camino.

Yo no entendía por qué habíamos tenido que hacer todo aquel camino a pie, cuando podíamos haber descansado hasta la siguiente feria. No teníamos montura, ni dinero para aquel viaje, pero mi tía estaba sedienta de conocimientos.

—Dicen que la vieja sabe cortar el aire.

El único aire que cortaba era el de la sierra que habíamos atravesado. Nos costó mucho subir al Pozo de las

Mujeres Muertas, que así llamaban a aquella desolación. Allí la tierra se había quedado calva y el rocío quitaba la respiración. Dormimos en un abrigo de la roca. Hicimos un fuego anémico que ardía con una llama azul, casi transparente. A la luz blanquecina del fuego, vimos los esqueletos de tres mulos despanzurrados. Más tarde, cuando me hube acostumbrado a la luz temblorosa vi que el abrigo era, en realidad, la entrada a una cueva; al fondo de la negrura había otra negrura más negra por donde la cueva se escapaba hacia el centro de la tierra. Era como una boca e incluso tenía dientes porque había unas manchas blancas que brillaban allá abajo. Al poco, mis ojos, ya acostumbrados a la oscuridad, se hicieron amigos de la tiniebla y vi que aquello blanco eran esqueletos humanos. Uno de ellos era el de un niño.

Dormimos poco y despertamos cuando todavía estaba oscuro. Era mejor caminar en el alba mientras la niebla se levantaba. Desde lo alto, vimos una llanura inmensa que parecía de sal. Al otro lado del puerto, el mundo había dejado de ser verde. Se había convertido en una desolación sin agua y sin hierba. Yo no sabía que el horizonte era algo que quedaba tan lejos. En nuestra tierra, el horizonte es amable y está cerca. Las montañas parece que pueden cogerse con la mano y el mar se nos mete por los resquicios del cuerpo. Aquí, en la llanura, el aire temblaba en la lejanía. Yo tampoco sabía entonces que el mundo era tan grande.

Tenía los pies llenos de ampollas cuando llegamos a la casa de los cuervos. Era una casucha redonda con el tejado de paja. Dentro había un lar y, sentada junto al fuego, una mujer muy pulcra con el cabello más canoso que había visto nunca. Iba vestida de blanco sin una mancha ni una mota de polvo. Me pregunté cómo hacía para no ensuciarse sentada en el suelo como estaba.

—Me alegro de verte, Milagros, los espíritus me previnieron de tu llegada pero no dijeron cuándo sería.

Mi tía y ella se abrazaron. La mujer tenía la piel fina y los ojos como rendijas azules.

—No soy ni maga, ni nigromante, ni adivina, ni encantadora, ni arbola, ni hidromante, ni arúspice, ni augur, ni astróloga, ni sortílega, ni salisatres.

—¿Qué? —dije.

—Eres todo eso y mucho más —dijo mi tía Milagros y le besó la mano.

—Pero soy un poquito *menciñeira* y puedo cortar con mis ensalmos el aire de alferesía, el de araña, el de perro, el de raposa, el de buey, el de vaca y, con la ayuda de Dios, corto el aire de condenado, el de culebra, el de lagarto y el de topo. También puedo echarte el pasteco; tú no lo necesitas pero la niña sí.

—Quiero que le enseñes a mi niña a cortar el aire como tú y a echar el pasteco y a usar el zumo de sapo.

—Milagros, Milagros. Tú no quisiste aprenderlo. ¿Por qué quieres ahora que ella vaya a donde no fuiste tú? Ya no se puede volar tan lejos. Están muy malos los tiempos. Ya no hago ensalmos ni preparo hierbas, ni mucho menos lo enseño. Ahora temo al Santo Oficio que me puso el sambenito y me desterró aquí para que me muriera de hambre.

—Nunca tuviste miedo de nada ni de nadie —dijo mi tía, y sacó la bolsa que llevaba al cinto. La puso en el suelo de la casa que era de polvo y camino, porque nada lo separaba de la tierra.

—Y no lo tengo. Pero están malos los tiempos. Ahora han abierto una asamblea de demonios que llaman «universidad», y sólo pueden curar los que a ella han ido y curan a los ricos. Los pobres no tienen para pagarles y vienen a vernos a nosotras, pero el Santo Oficio nos llama brujas, echa la culpa al Diablo y nos persigue.

—¿Qué es eso de las «universidades»?

—Es cosa de ricos, y sólo se puede estudiar medicina en ellas, y las mujeres no podemos ni entrar, por lo cual no somos ni seremos médicos y, si no somos médicos, tenemos prohibido curar.

—Pero tú has hecho bien a mucha gente. Quiero que enseñes a mi niña.

—Por ser hija tuya, la ensalmaré para curarle esa tristeza que tiene en los ojos, pero no puedo enseñarle; tengo demasiado miedo.

La mujer de blanco repitió nueve veces una oración secreta mientras me frotaba la frente con un ramo de sabujo.

Luego se agachó para coger unas hierbas secas que extrajo de una arqueta y las puso a calentar encima de un tejo. Me hizo respirar el humo y pronto perdí el sentido.

Oí, muy lejos, que la vieja seguía hablando con mi tía Milagros.

—Los pobres siempre vendrán a nosotras. Ellos sólo nos tienen a las saludadoras, a las mujeres buenas que ahora llaman brujas. Haré lo que pueda por tu niña. Si consigues cornezuelo de centeno, puedo hacerla volar.

Entonces me di cuenta de que aquella mujer estaba loca, de que sin duda era una bruja, de que estábamos perdidas.

Ainur

La viuda Rius había decidido una mañana que no hablaría una palabra más. La mañana en la que lo decidió todavía no era la viuda Rius, aún era la señora Rius. Nadie sabe por qué tomó esa decisión ni menos aún si la muerte de su marido fue causa o consecuencia de ello, con certeza sólo sabemos que un mes más tarde había enterrado a su marido y seguía sin pronunciar palabra. Todos en el pueblo pensamos que se le pasaría y lo mismo pensaron sus dos hijas, que resistieron todavía un año más el silencio de aquella casa. Luego la abandonaron, y a partir de entonces fueron ellas las que se negaron a hablar con su madre. Así que nunca sabremos si la viuda Rius les hubiera dirigido la palabra antes de morir porque ellas no se molestaron en darle la oportunidad, sí sabemos que el párroco y yo algunas tardes, y yo y el párroco muchas mañanas, le hicimos largas visitas sin lograr sacarle ni una palabra ni el motivo de su silencio. (Peor aún: era una mujer tan desagradable que ni siquiera abrió la boca para invitarnos a tomar algo). Cuando al fin murió, tardamos mucho en darnos cuenta, en un pueblo tan pequeño si no dices nada es porque no tienes nada que decir. Y si no tienes nada que decir, ninguna historia que contar, es como si ya estuvieras muerto.

Selene

Quieres volar, niña? —preguntó la mujer.

Sin abrir los ojos oí su voz. Gutural, ronca: la voz de alguien que no está acostumbrado a hablar con las personas. Cuando los abrí no vi a mi tía, pensé que habría ido a por agua o a por leña. Me pregunté en ese momento si no me habría quedado dormida o desmayada. Milagros no podía estar lejos. Ella nunca me hubiera abandonado con una ermitaña loca por muy sabia que fuese.

—Estamos solas —me respondió como si leyera mi pensamiento—. No debes escapar. No serviría de nada.

Pasé un año con la vieja, fui su criada, su esclava, su hija y su amiga, según el humor con que se levantara cada mañana. Pues después de sus vuelos nocturnos, a veces estaba de un humor de perros y otras me llenaba de besos. Ella decía que volaba por la noche. La verdad es que no se movía de un sillón frailero, se untaba con ungüentos extraños y se quedaba dormida, murmurando entre dientes. A veces se reía y otras roncaba. Nunca salía de su habitación.

En ese tiempo, no la vi hacer mal a nadie y sí curar el mal de barriga a dos arrieros y quitar los demonios a una adolescente que le trajeron de un pueblo vecino. Me enseñó mucho, pero aprendí poco. No obstante, el día en que mi tía Milagros vino a buscarme, me arrojé a sus brazos.

—¿Quieres seguir aquí y aprender más durante otro año?

—No, tía, con lo que sé bastará.

—De acuerdo. Pero piensa, hija, que pronto estaré vieja para andar por los caminos. Entonces, viviremos de tu ciencia.

—Así sea, tía —le dije.

De todo lo que estudié con la anciana loca, hubo una sola cosa que nunca he olvidado. Ella me enseñó a ser un espíritu libre: una mujer que no estaba casada, ni estaba sola; que no era monja, ni beguina, que no era posadera, ni puta y que, sin embargo, se ganaba la vida. Y me enseñó a admirar a mi tía.

«Ella sabe de hierbas y enfermedades más que nadie. Es un corazón bueno y una mujer sabia», me decía, mientras yo le pelaba las patatas para el potaje.

Nada de eso le sirvió el día en que conoció el fuego.

En cuanto a mi maestra, un arriero me habló de ella hace un año. La habían encontrado comida por los lobos.

Pero en aquel paraje no había lobos.

Se hubieran muerto de hambre.

Consuelo

La casa de la viuda Rius estuvo cerrada durante muchísimos años y todos pensábamos que estaba maldita. Fue la misma casa que le correspondió a Ainur en virtud de una oscura herencia. Cómo logró la viuda Rius desheredar a sus hijas sin decir palabra no lo sabemos ni sabemos el parentesco que la unía con Ainur, pero alguno debían de tener porque, cuando la pelirroja volvió a nuestro pueblo después de tantos años y comenzó a barrer hacia fuera la mucha porquería y la mucha soledad acumulada entre aquellas cuatro paredes, alguien dijo que la había heredado de su abuela, la meiga. Nadie la creyó pero hicimos averiguaciones y al final don Cosme el abogado a cambio de un buen anís y cecina de la tierra me confirmó que era cierto. Los caminos del Señor son inescrutables. La vieja loca había heredado la casa de la señora Rius, y Ainur, hija única de una única hija, era también la única heredera de su abuela.

Selene

Tenía los ojos enfermos y no podía llorar. Desde el amanecer en que los árboles de fuego se levantaron en la plaza del Mercado no había vuelto a llorar. Tampoco había pronunciado palabra. No había podido comer, ni tenía nada que comer, habían pasado tres días sin que se acostara a dormir. Caminaba en una pesadilla, en cada recodo creía ver un árbol ardiendo y luego resultaba ser una ardilla, o el reflejo del sol, o un mendigo pelirrojo. Se había sentado en el crucero a las afueras del pueblo. La señal de la cruz intentaba asustar a los malos espíritus que juegan al escondite en las encrucijadas. Aquéllos eran los cuatro puntos cardinales. Tenía que irse de este pueblo, de este mundo, qué más da. Caminaría hasta romper sus escarpines, hasta romperse los pies, hasta romperse el alma, caminaría hasta caer muerta, llegaría al confín del mundo donde su tía decía que estaba la Laguna Estigia y encontraría al barquero de los muertos, le preguntaría por su tía, que era su madre, la única bondad que había conocido. Ella era buena con todos, no cobraba a los pobres, por eso mismo la habían matado.

No merecía la pena vivir y la única duda era cómo morir. Podía caminar hacia el norte, el corto trecho hasta los acantilados: las piedras afiladas, la muerte aguda, el rugir del agua. O al oeste buscando el Finisterrae. Hacia el este donde viven los paganos o hacia el sur donde están las montañas de la nieve que nadie ha conseguido traspasar. La muerte la esperaba en todas partes, más rápida o más lenta. Sólo tenía que elegir. Siempre le había costado. Porque escoger es perder y porque era muy joven y todavía esperaba que sucediera algo, algo que justificara el no morir. Algo que hiciera que vivir no fuera una traición a la memoria de la muerta, que sobrevivir no fuera una cobardía, que fuera posible volver a tener dieciocho años y caminar en busca de una razón para vivir. Ahora sentía la debilidad del prolongado ayuno y la falta de sueño. Apoyó su espalda en la frialdad del crucero de piedra y cerró los ojos. Habría podido permanecer allí para siempre. Se secaría con el sol, se convertiría en una carcasa vacía, resistiría unos meses y un día se desmoronaría convertida en polvo del camino y los viajeros la llevarían en los pies cuando partiesen a todas partes.

Entonces abrió los ojos. Mirar al sol era como mirar por el ojo de una cerradura un mundo distinto. Más allá de las nubes violetas. Al otro lado de la puerta. La barca del sol naufragaba en el mar del ocaso. Vio una muralla de fuego como si estuviese mirando a través de la hoguera de su tía. En la niebla rojiza vio al inmenso perro negro.

Se acercaba.

Consuelo

No hacía ni siete días desde que llegó al pueblo la pelirroja cuando bandadas de cuervos comenzaron a volar en círculos sobre la vieja casa que había sido de la viuda Rius. Alzaban el vuelo y caían en picado sobre el tejado. Parecía que fueran a estrellarse pero en el último momento echaban a volar.

—Como tú, Ainur. Eres como un pájaro, parece que vas a estrellarte pero sólo vas a levantar el vuelo.

Así era el farero, casi nunca abría la boca pero si decía algo uno era incapaz de olvidarlo.

Yo lo oí claramente, no porque hubiera estado escuchando, me hubiera gustado pero cada vez soy más dura de oído y me cuesta entender lo que dicen.

Esto lo oí porque el farero prácticamente me lo gritó al oído.

El farero nos caía a todos bien, de lo contrario no se lo hubiera permitido. Y la pelirroja era mucho peor de lo que nos imaginábamos, de lo contrario no habría pasado lo que luego pasó.

El caso es que yo fui, como casi siempre, la primera en darme cuenta pero pronto todos me dieron la razón.

No es normal que los cuervos anden en bandadas y mucho menos que vuelen en círculos en torno a una misma casa. Una casa abandonada. Una y otra vez. Más alto y más bajo. Como borrachos. Como enamorados. Como locos.

Una y otra vez dándole vueltas a lo mismo.

Aínur

Y era él. Por supuesto que era él, el mismo con el que jugué de niña hasta que me lo prohibieron, me enseña el *Lazarillo* que yo le regalé, el que le di cuando nos separaron para siempre. Mi madre no quería que yo fuera una desgraciada como ella; mi abuela no quería que yo fuera una desgraciada como mi madre, había algo que no funcionaba en mi cabeza, me decían, y yo oía que las fuentes, que los riachuelos, que los pájaros cantaban mi nombre y le daban la razón a mi madre y a mi abuela. No paré hasta que se callaron, no me detuve hasta que pacté el silencio de las fuentes, esa misma tarde me vino la primera sangre y supe que se habían acabado la magia y la infancia. Quizá fueran lo mismo.

El farero

Antes de convertirme en farero de un faro que no alumbra lo ignoraba todo, pero sabía dos o tres cosas: sabía que debes confiar en todos y no puedes fiarte de nadie, sabía que no soy capaz de mirar a los ojos de una pelirroja y sabía que el hombre no había llegado a la Luna.

Creemos que el hombre ha estado en la Luna del mismo modo que los antiguos creían en las brujas. Ellos no habían visto volar a ninguna, yo, en cambio, estuve en Cabo Cañaveral y vi el ridículo dispositivo con el que se supone que los astronautas volvieron del espacio. Hubiera parecido un juguete para niños si no fuera un atrezo genial. No es sólo que, como ingeniero aeronáutico, estuviera seguro de que no resistiría la entrada en la atmósfera terrestre, es que, como persona con sentido común, sabía que no resistiría ni siquiera los rescoldos de la estufa de mi abuela.

Nos han engañado. Y la comunidad científica se ha dejado engañar. ¿Por qué?

Pasé toda una semana en Cabo Cañaveral viendo una y otra vez la película del supuesto paseo del hombre por la Luna. Un pequeño paso para un hombre, un gran paso para la humanidad.

El problema no era que fuese imposible llevar al hombre a la Luna, el problema era que era imposible traerlo de vuelta y, si el hombre no volvía, adiós televisiones, ruedas de prensa, adiós impacto mediático, adiós discursos en la tele. Si el hombre no volvía, los americanos seguían perdiendo la carrera espacial. Y, si ese hombre moría, adiós elecciones y, sobre todo, adiós civilización occidental.

Si el hombre no volvía de la Luna, la ciencia sólo habría servido para construir la bomba atómica y entonces sólo había dos posibilidades: quemar a los científicos o ir a la guerra con ellos.

Y todavía hoy se estudia que la carrera espacial la ganaron los rusos, los únicos capaces de sufrir, capaces de poner un hombre en órbita sin que se suicidara o acabara con el mundo. Porque los rusos eran capaces de sufrir, les habían enseñado a sufrir, pero los americanos... a los americanos les habían enseñado a ganar.

Y no es lo mismo ganar que sufrir. Si la expedición a la Luna hubiera fallado, si los hombres no hubiesen vuelto, el presidente de Estados Unidos hubiera tenido que dimitir.

Y un presidente de Estados Unidos no dimite. Puede ser que lo asesinen, pero no dimite.

Por eso yo me hubiera creído lo del hombre en la Luna si lo hubieran hecho los rusos.

Porque el presidente del sóviet supremo no hubiese tenido que dimitir ni siquiera si, no una sino siete, expediciones a la Luna hubieran fracasado. De hecho, es posible que los rusos hubieran intentado ir a la Luna y hubieran fracasado. Junto con el sufrimiento, su punto fuerte era el secreto.

Si los rusos hubiesen dicho que habían ido a la Luna, yo me lo habría creído.

Porque los rusos no tienen imaginación.

O al menos no la tienen sus gobernantes.

Porque los rusos no tienen Hollywood, no han rodado *La guerra de las galaxias.* Las sombras en *La guerra de las galaxias* son mil veces más creíbles que en la película del hombre en la Luna.

Las supuestas piedras de la Luna tienen marcas hechas por mano humana.

Vi la película de Cabo Cañaveral siete veces seguidas y supe.

Supe que era imposible.

El hombre no había llegado a la Luna, no en 1969. Por eso quieren volver ahora. Quizá ahora podrían hacerlo de verdad. Pero en 1969 era imposible hacerlo y era necesario hacerlo creer.

Así nació la película con más éxito de la historia y así dejé de ser ingeniero aeronáutico.

Descubrir que el hombre no había llegado a la Luna fue para mí como dejar de creer en Dios. Mi dios, el dios de los astronautas, me había abandonado.

Sin embargo, todos mis compatriotas, la mayoría de la gente de la Tierra cree que el hombre ha llegado a la Luna.

Exactamente del mismo modo que creían los coetáneos de Galileo que la Tierra era plana; de la misma manera que de la Edad Media al siglo XVII ricos y pobres, cultos e incultos, hombres y mujeres creyeron en las brujas y en sus conjuros. Encontrar ahora a una mujer que crea en ellas me resultaba ligeramente ridículo pero algo menos que saber que mi director de tesis seguía sosteniendo que el hombre había llegado a la Luna. En 1969 la humanidad necesitó creer que había llegado a la Luna para salvarse de la guerra nuclear y de la autodestrucción. En la Edad Media, los aterrados campesinos castigados por la peste, por el hambre y por las ratas creyeron en las brujas. Al fin y al cabo, lo importante es tener alguien a quien echarle la culpa.

Aunque sean las brujas.

Aunque sean los rusos.

Y en ésas andaba cuando conocí a Ainur.

Me dijeron que una mujer vivía en la casa de la viuda Rius. Me dijeron que era pelirroja y esquelética. Me dijeron que estaba loca. Me contaron que ella era la que atraía a los cuervos. Me propuse conocerla.

Aínur

Te vi ayer y hace unas semanas. Te he visto cada tarde aquí, mientras remaba, pero cada vez que me acerqué te alejaste.

—Eso es imposible pues no había estado aquí desde hace años. —El farero se acaricia los guantes rojos como si le trajeran ásperos recuerdos—. Viví en Noruega durante un tiempo, ellos hablaban del *vardögr,* una aparición que llega un poco antes de la persona real.

—Es un eco en el tiempo.

—¿Crees en el otro yo? ¿Crees que todos tenemos un doble mágico? Un álter ego que vive liberado del cuerpo mientras éste está entorpecido por el sueño, paralizado por el trance, menoscabado por la enfermedad o petrificado por el coma.

—Yo creo en ti —le dije, y llevé su mano a mi seno.

El farero

España no es racista ni machista. Ni siquiera es clasista. Es mucho peor: es una sociedad estamental, de grandes apellidos, de grandes familias, aquí el dinero no puede comprarlo todo. Hay muchas cosas que el dinero no puede comprar: no puede comprar relaciones, amigos y conocidos de los salesianos que más tarde te ayudan en los negocios. No puede comprar la pertenencia a una élite pero sí puede expulsarte de ella. El dinero no puede comprar el amor pero puede comprar un amante. El dinero no puede comprar amigos pero no tenerlo te conducirá irremediablemente a perderlos. Ojalá el dinero fuera en España más importante que el apellido. Porque uno puede ganar dinero pero no puede cambiar a sus padres. Y en este país, si quieres que tu vida sea diferente, tienes que empezar por el principio, por cambiar a tus padres, el lugar donde naciste, las montañas que te condenaron, el mar que te maldijo. Si pudieras cambiar todo eso entonces también podrías hacer que tu vida fuera distinta, que nunca hubieras matado a un hombre, que no hubieras pasado por la cárcel, no estarías maldito, no te sentarías en un faro abandonado a hablar con una mujer a la que todos llaman bruja.

Podéis llamarme Magic, éste no es mi verdadero nombre. Igual que los toreros, los escritores y los religiosos buscando un nuevo mundo, he encontrado un nuevo nombre. Un nombre abandonado como el faro donde vivo.

Nos dan un nombre y nos dicen que es nuestro. Y es el nombre de otros. El nombre propio es el nombre de muchos. Como si nos dijeran que podemos ser distintos pero sólo para parecernos a otro.

Por eso a la pelirroja no le pregunté su nombre, recordaba el que tenía de niña y esperaba que ya no fuera el mismo. Me preguntó qué hacía allí. Al final del camino.

—Me llamo Magic y soy loco profesional.

—¿Acaso existen los locos aficionados?

—Sí, yo empecé siendo *amateur* y ahora soy profesional, vivo de eso. He estado en el manicomio.

—¿Era como este pueblo?

Los ojos cerrados. Su mano en mi boca. Los ojos cerrados. Su boca en mi mano. Su labio en mi labio. Su mano en mi mano. Los ojos cerrados. Su sexo en mi boca, su boca en mi mano, su sexo en mi sexo, los labios cerrados. Su grito en mi grito, su labio en mi labio, su mano en mis ojos, los ojos cerrados.

Y huele a otro mundo, distinto y salado.

Su mano en mi boca, mi boca en su mano. Mi labio en sus ojos, su mano en mis manos, su sexo muy dentro, los ojos cerrados. Puedo ver el mundo desde donde estamos. Hay algo de plomo que estalla en mis labios. Su sangre en mi boca, su sangre en mi mano, su esencia en mi cántaro, su lluvia en mis labios, y todo despacio, los ojos cerrados. Soy dueña del mundo, y todo ha cambiado. Su grito en mi grito que sabe a mis labios. Una y otra vez. Los ojos cerrados.

Me desperté junto a él, estábamos juntos. Pegajosos, mojados, abrazados. Era todavía de día o era de nuevo de día. No lo sé. ¿Cuántas veces? No lo sé.

Y ¿quién es él realmente? No lo sé. Tiene el pelo negro y mientras me toca nunca se quita los guantes rojos.

Mi cuerpo es como un ojo por delante y por detrás. En cada poro, ampollas de placer. Se abren. Estallan. Siento partes de mi cuerpo que no sabía que existían. No sabía que yo era tan honda ni que estaba tan vacía. Mi cántaro estaba ansioso de tu agua. Una y otra vez. Una y otra vez. Los ojos cerrados. Mi vacío es inmenso pero tú también.

Encontré al farero. Tiene la mirada más extraña que los ojos. Ojos que no son verdes ni azules sino del color que tiene el cielo en las tormentas y en algunas pesadillas. Siempre lleva guantes rojos. Incluso cuando está desnudo. Vive en un faro que no funciona. No trabaja, vive. Estamos siempre juntos ahora. La sombra de Satán, el farero y yo. No nos separamos. Ahora no me importan los cuervos muertos, ni el pueblo lleno de cojos ni la vieja del ojo de cristal, ni mi alcalde, ni siquiera me importa que, por todas partes, comiencen a aparecer animales muertos.

Yo le hablo de Selene, de su proceso. De que murió por curar a la gente. Por salvarles de su ignorancia. Le enseño los papeles que he ido recopilando. Le hablo de ella como si la conociera. Es más fácil hablarle de ella que hablarle de mí. No le digo nada del alcalde, de la persecución, de los cadáveres de pequeños animales que encuentro cada día. No le hablo de los hombres que duermen ahora en cualquier hostal, quizá no muy lejos de aquí, hombres que llevan una foto mía en la cartera aunque nunca me han visto. Hombres que van a matarme sin odio ni saña con la precisión burocrática de un inquisidor que hace su trabajo (hombres que me buscan para matarme). Le hablo de ella, porque ella ya no puede ser salvada pero yo sí. Hablarle de ella es mi manera de pedirle que me salve.

Él me habla de las basuras. Pienso que está loco pero habla en serio. «Cuando perdí mi trabajo —dice—, recogía muebles en las basuras, los restauraba y los vendía.

»La calidad de una sociedad se ve en sus basuras. Yo me dedicaba a recoger basura en la ciudad. Me hice una casa con desechos de obras. En la calle Claudio Coello encontré hasta vidrieras góticas.

»Una sociedad puede conocerse a través de sus basuras, en Estambul era imposible encontrar nada que pudiera reutilizarse. En África reparan las tiras de goma de las sandalias y hacen los más diversos objetos con las cubiertas rotas de los neumáticos. Eres lo que reciclas.

»Yo soy lo que he hecho con los trozos que quedaban de mí. Los he pegado y he construido a un hombre distinto con lo que todavía podía servir para algo».

Una mañana me encontré por la calle a la vieja de la tienda, llevaba su sempiterno mandilón a cuadros que le daba el aire de una niña de escuela. Emanaba una perversa autoridad quizá porque, como los poderosos auténticos, nunca alzaba la voz. Hablaba tan bajo que uno tenía que inclinarse sobre ella y respirar su aliento a ajo y a medicina.

A la luz del día, su ojo de cristal no brillaba tanto como en la oscuridad de la tienda. Fue otro detalle el que me dejó sin respiración.

Le faltaba el pie y una pequeña parte de la pierna izquierda. En su lugar, y vestida con calcetines blancos, llevaba una prótesis de plástico que arrastraba por el barro.

También ella era coja.

Se lo dije al farero.

—¿Es que en este pueblo sois todos cojos?

—En este pueblo a todos nos falta algo.

Consuelo

Balbina, se llamaba Balbina.

Me había caído de la cama y seguro que me había roto la cadera, aunque mi médico Trinitario decía que uno no se cae y se rompe la cadera, uno se rompe la cadera y por eso se cae. Estoy segura de que mi médico nunca se ha caído de la cama. Aunque lo verdaderamente grave es caerse. Ya ven, yo me caí de la cama y estoy aquí contándolo, un poco dolorida y oliendo a linimento pero la verdad es que no me hice casi nada. Será que santa Bárbara me protegió en el último momento, será que por fin había comprendido el misterio de la herencia de Ainur, el misterio de la casa de las brujas y puede que el misterio de los cuervos muertos.

—Balbina, la viuda Rius se llamaba Balbina.

—¡Ah!

—Eso lo explica todo.

—¡Ya!

—Balbina le dejó la casa en herencia a la vieja a cambio de que se muriera su marido y poder ser la viuda Rius.

—¿Y eso qué tiene que ver con que se llamara Balbina?

—Se me ha ocurrido en sueños, en cuanto he recordado que se llamaba Balbina.

En fin, hay veces que el pueblo no se da cuenta de lo mucho que tengo que sacrificarme y esforzarme para que se enteren de todo. Si no fuera por mí, seguirían viviendo en la inopia.

El farero

Las basuras eran mi reino. Podía conocer una ciudad por sus basuras. Las basuras decían mucho más de la gente que las vallas publicitarias, mucho más que las pantallas encendidas noche y día sobre las calles, más que las luces de neón y los emigrantes que buscaban en los contenedores de los grandes supermercados.

Cada noche salía de batida. Conocía los mejores rincones. Sabía a lo que olían las bragas de las señoras de Claudio Coello donde un jueves encontré una vidriera gótica y un viernes una partida de mármol de Carrara. Conocía los frigoríficos de segunda mano que abandonaban en la avenida de Oporto y las lámparas de cristal de Bohemia que, de vez en cuando, en general cuando moría una vieja dama, arrojaban a los cubos de Legazpi.

Había construido mi palacio con lo que los demás tiraban.

Era un hombre reciclado.

Con las virtudes que otros consideraban vicios me había hecho a mí mismo.

Ainur

Una rata muerta apareció clavada en la puerta de la capilla de santa Magdalena. La habían clavado con el cristal roto de una botella. Pensé que el que lo hubiera hecho tenía que ser bastante fuerte aparte de muy habilidoso. Si alguien se atrevía a acercarse veía que habían estirado las patitas exánimes de la rata y las habían clavado a su vez con dos alcayatas. Habían crucificado al pequeño y repulsivo animal a las mismas puertas de la iglesia.

Supongo que ése fue el motivo de que aquel crimen pareciera peor que cualquiera de los otros. Pues aquella rata muerta fue la que acabó desatando la locura del pueblo entero.

Y digo bien «desatando», porque la locura siempre había estado ahí, sólo que cada uno la encerraba dentro de sí con los cerrojos que tenía a mano. Unos la ocultaban con maledicencia, como Consuelo la tendera; otros con violencia, como el gigante rubio que pegaba a su mujer sistemáticamente sólo los sábados por la tarde; algunos con alcohol, como decían que hacía el Señor Oscuro, y los peores eran los que, como yo, la enterraban con silencio. Y la locura fermenta en el silencio como los hongos en la oscuridad. El silencio sólo tiene un enemigo. El viento al que todos temen. Este pueblo conoce el viento. Cuando el viento sopla, arrastra algo en la cabeza de la gente. Y el silencio no vuelve a ser como antes. En el silencio y en el viento la locura fermenta suave y rápida como las flores en los estercoleros.

Selene

Dicen que Selene siguió al perro negro que era mitad perro, mitad lobo. Se tendió a sus pies y ella lo acarició. Eso acabó de sellar el pacto. El perro echó a andar hacia el sur y ella le siguió. Pronto el suelo estuvo nevado y sus zapatos rotos. Era de noche y tenía miedo, pero el perro parecía saber adónde iba. Dicen que la condujo a su guarida, a una cueva en la montaña con sus hermanos lobos. Dicen que allí encontró refugio, y allí pasó todo un invierno. Los lobos cazaban y ella cazaba con ellos. Se abrigó con pieles e hizo fuego para sus nuevos amigos. No quería tener nada que ver con los seres humanos. Algunas noches intentaba decir algo. Abría la boca pero de su garganta no salía ningún sonido. Todavía veía una neblina roja. Se dejaba lamer las manos por su nuevo amigo. Lo llamó Satán. Y a él le juró no volver a vivir nunca con los hombres. Cuando el invierno arreció estuvieron a punto de morir de hambre, entonces Selene puso algunas trampas como le había enseñado la vieja loca del páramo. Consiguieron pequeños animales: conejos, tejones, gracias a ellos fueron sobreviviendo. Un día oyó los gritos de los hombres, cerca, muy cerca de su guarida. Daban una batida, podía oler sus grasientas vestiduras y oír sus terribles gritos. Los hombres mataban por matar. Toda la camada se apretujó junto a ella. Satán daba vueltas en la entrada de la cueva, como si vigilara. Pasaron de largo, iban a la caza o a la guerra y ella no tenía nada que ver con ellos. El frío se hizo más intenso, tenía sabañones en los pies y a menudo le dolía la garganta. Vivía en un mundo blanco, que a ella le parecía un mundo puro, no contaminado por la maldad del hombre y sus estúpidos preceptos. Se hubiera quedado allí para siempre y juró hacerlo.

Llegó un momento en que el mundo no podía ser más frío. El sol viró. La nieve comenzó a fundirse, aquí y allá había islotes verdes donde brotaban unas flores pequeñas y anémicas como enfadadas por tener que vivir en un lugar tan inhóspito.

Una mañana Satán le mordisqueó la manga para obligarla a levantarse. La tierra fuera de la cueva exhalaba un vapor blanco como si la acabasen de cocinar. Cuando se disipó la niebla el mundo ya no era blanco sino verde y en la claridad Selene vio el humo que se elevaba hacia el cielo. El humo de las hogueras que hacían unos seres viles llamados humanos.

Abrió la boca y por primera vez en mucho tiempo salió un sonido. Era un sonido terrible, un grito animal, estertor de todos los gritos, de todos los sollozos. Los cachorros lo oyeron y temblaron, las perras en celo salieron despavoridas y las madres huyeron llevándose a sus pequeños. Todos los pelos de Satán se erizaron en su lomo mientras ella gritaba, pero no la abandonó.

Volvió.

Pero nunca volvió del todo.

Porque una parte de ella se quedó para siempre en la montaña.

El farero

Magic lee periódicos atrasados.

—Te he conseguido el periódico de hoy. ¿Lo quieres?

—No, nunca leo el periódico de hoy, prefiero el periódico de ayer.

—¿El periódico de ayer?

—O mejor el de la semana pasada.

Torres de papel amarillento, una babel de recortes. El papel rosado de los diarios económicos, las letras de molde de los diarios extranjeros, el *Financial Times* y el *New York Times, The Guardian* y *Le Monde* como mensajeros de otro mundo, que, tal vez, seguía existiendo detrás de las montañas. La mesa estaba llena de papeles despeinados que exhibían sus portadas sangrientas como putas que airearan sus encantos al cliente esquivo de última hora.

—Apuesto a que eres el único que lee el *Financial Times* a este lado de los Picos de Europa.

—Nunca se sabe, pero podría ser. Me acostumbré a leer prensa atrasada, primero por necesidad, luego se convirtió en un vicio. Si leo el periódico del día, me siento manipulado, leo y siento lo que otros quieren que lea y sienta. Cuando leo de una vez los periódicos de los últimos tres meses y los recorto, veo las noticias que se lanzaron como globos sonda a la opinión pública, las expectativas que se crearon y las que se cumplieron, los sondeos electorales que acertaron y los que cambiaron la intención de voto. En lugar de ver el árbol veo el bosque de las mentiras sobre el que a trompicones comienza a construirse la Historia.

—¿No tienes bastante con tu historia?

—No tengo historia.

—Así que la buscas en los periódicos.

—Preferiría buscarla en el fondo de tus ojos, pero tus ojos y algunos precipicios no tienen fondo.

Selene

La ciudad era de piedra, más grande e insolente que nada que Selene hubiera visto jamás. No la impresionó por sus murallas que eran endebles y habían sido sobrepasadas por las casuchas que surgían como hongos en el arrabal, ni siquiera por el castillo y la catedral que luchaban por el aire allá arriba entre las nubes, lo que sobrecogió a Selene era el griterío, las voces de los pregoneros mezcladas con los cánticos de los monjes de los numerosos monasterios, con los gritos de los ajusticiados en el cepo cerca de las puertas de la muralla y los alborozados juegos de los niños en callejuelas tan estrechas que se le hacían angostas al aire de la tarde. Selene declaró ante el Tribunal que el rumor y los olores fueron lo que la convenció de estar ante una gran capital. Olía al penetrante y terrible aroma del barrio de los curtidores, mezclado con el olor de las maderas preciosas que se labraban en el barrio de los ebanistas. La ciudad era un lugar sucio, tal vez o a pesar de tantas fuentes que manaban en todas las esquinas vomitando regueros y arroyuelos de fango. Los transeúntes tropezaban con sus ropajes demasiado largos en calles tan estrechas que los pasajes y escaleras las sobrevolaban. Por todas partes olía a orín y a queso rancio, a leche derramada, a sudor y a piedra. Su tía Milagros le había dicho muchas veces que el aire de la ciudad daba libertad. Al principio le dio ahogos. No sabía que había tanta gente en el mundo ni que podían vivir en tan poco espacio. Le pareció que, como las ratas, también los hombres se volverían locos al hacinarse así.

Nunca había querido venir hasta aquí, nunca había estado tan lejos de casa. Había una razón tan poderosa que no debía ser pronunciada, la misma que la impelía ahora a llamar a la puerta de servicio de aquella casa burguesa, cuadrada y un poco contrahecha. No parecía la casa de un médico famoso, pensó, sin embargo lo era. Allí le habían dicho que vivía Maese Félix, el mejor médico de Castilla, el mismo que había curado a la reina. Un médico tan bueno que los musulmanes lo habían secuestrado en una ocasión para atender a una favorita del rey moro. Tan famoso que hasta en el norte se hablaba de él y, lo más importante para Selene, un médico que había ido a la universidad, que había hecho el Juramento Hipocrático y conocía las artes secretas que estaban prohibidas a las mujeres.

En aquellos instantes, el famoso médico se lavaba las manos mientras su ayudante terminaba de practicar una sangría. Él había sido incapaz. Había lacerado miles de brazos en el ejercicio de su profesión pero éste no había sido capaz de traspasarlo. Tampoco fue capaz de soportar el sonido y el color de la sangre al derramarse espesa sobre la bacía. Porque aquella sangre era la suya. Sobre un lecho magnífico con colchas de damasco, yacía una muchacha de pelo negro y piel nacarada. Tenía los ojos cerrados y la boca entreabierta. El sudor cubría sus labios cenicientos. Como médico, sabía que era el rocío de la muerte; como padre, no podía aceptarlo. A pesar de su fama, su ciencia era un fracaso. Agarró con gesto cansado la lanceta que le tendía Dámaso, su ayudante. Un chico estrábico, pelirrojo, que cojeaba de la pierna izquierda por la polio, sordo a causa de la escarlatina, un muchacho lleno de futuro que esperaba vivir aún mucho tiempo, por ejemplo cinco o diez años más, y sucederle en el oficio. Había pensado que sería su yerno el que heredase sus artes, pero su yerno había engendrado al pequeño que berreaba en la otra habitación, el mismo que había llevado a su hija al penoso estado en que ahora se encontraba y al que él no sabía poner remedio y, apenas hecho esto, se las había arreglado para que lo mataran en la Taberna del Moro en una oscura pelea por cartas y por mujeres. Se llevó la lanceta a la boca sin temor a cortarse, es más, deseando cortarse, acabar con esa pantomima, y lamió la sangre. Tenía un sabor metálico y amargo como el de la muerte. Abrió la ventana. La luz del atardecer que había estado oculta por la celosía iluminó su cuerpo, desde la barba blanca hasta las rodillas reumáticas, convirtiéndolo por un momento en una antorcha humana. Vio el velo dorado del sol incendiando los trigales más allá de las murallas y vio que estaba acabado como médico. ¿Qué parturienta confiaría en él después de haber dejado morir a su única hija? Pensó en clavarse la lanceta en la garganta. Se preguntó si aún tendría la habilidad sin par que en sus años mozos le había llevado a practicar trepanaciones. Tan grande era su ciencia que incluso tres pacientes sobrevivieron unos días a las mismas. El recuerdo de sus triunfos como médico fue más de lo que podía soportar en esos momentos. Era impensable continuar con vida y también quitársela así, sin honor. Con los ojos cerrados abrió la ventana de par en par y lanzó al aire la lanceta con sangre de su Raquel. Vio cómo caía silbando como una saeta y oyó el ruido que hizo al estrellarse contra las piedras de la calle. Era la lanceta que le había regalado su maestro en Salamanca. Con ella había comenzado su carrera de Medicina y con ella la acababa. Mañana mismo pondría en venta la casa y el negocio y, sin esperar el fatal desenlace, se iría con su hija moribunda para que los dos pudiesen concederse el mayor lujo en una ciudad de comidillas y rumores, de envidias y calumnias: una muerte privada en el pueblecito andaluz que los vio nacer, lejos de todo y de todos.

Eso haré, dijo suspirando, y entonces oyó cómo su hija gemía y rezó. Rezó para volver a creer en Dios, en algún Dios, y para saber rezarle, pero ninguna oración vino a sus labios, ningún pensamiento puro a su mente sino el mismo sabor a metal y muerte de la lanceta. En ese momento, oyó cómo llamaban a la puerta.

Los aldabonazos sonaban en la puerta trasera, la de los proveedores. En condiciones normales, habría mandado a un criado pero en esos momentos le asaltó el pensamiento absurdo de que esa llamada era una respuesta a la plegaria que había sido incapaz de hacer. No lo detuvo el pensar que no había pedido nada pues sabía que no pedir nada es igual que pedirlo todo.

Abrió la pesada puerta y no vio a nadie. Él había contemplado el suicidio del sol y ahora la oscuridad era la dueña del mundo. Encendió la vela que estaba siempre en el zaguán. Al principio, la oscuridad se tragó su resplandor pero, poco a poco, distinguió una figura pequeña y delgada. La sombra caminó hacia él. No pudo ocultar su decepción al descubrir que era una mujer. En el resplandor tembloroso de la candela, vio a una mujer huesuda y pelirroja con la ropa destrozada.

—No necesitamos nodriza, ya tenemos una —dijo, volviendo a cerrar la puerta.

La mujer levantó la mano y puso un pie en el umbral. Pensó que era como la mano de un cadáver, tan blanca y acerada. Algo brillaba entre sus dedos. Era la lanceta que él había arrojado.

Ainur

Cómo sabes todas esas cosas de Selene? ¿Estabas allí? Escribes de ella como si la conocieras.

—La conozco. Busco en viejos papeles igual que tú buscas en las basuras. En los documentos, como en la basura de Madrid, puede encontrarse de todo pero, igual que entre los sacos de basura, lo difícil es separar lo inservible de lo útil, aquí es arduo separar verdad y mentira, historia y ficción. Lo valioso no suele encontrarse a simple vista. Ni en los basureros ni en las bibliotecas.

—Y ¿cómo escribes?

—Escribo un poco cada día sin esperanza y sin desesperación.

—¿Cómo conoces sus palabras?

—Están en el proceso y dentro del proceso he encontrado un tesoro. Sus propios escritos. Sirvieron para condenarla.

—¿Sabía escribir?

—Fue una de las cosas que tuvieron en su contra. Era poco cristiano e inusual que una mujer de la época supiese escribir. La mayoría de los hombres no sabían.

—¿Y tú entiendes esa letra y esa manera de hablar?

—Es el castellano de la época.

—A mí me suena moderno.

—Lo estoy transcribiendo tal y como sonaría hoy en día. Cuando Selene hablaba no utilizaba palabras pasadas de moda, más bien hablaba la jerga de los jóvenes.

—¿La jerga de los jóvenes del siglo XVII?

—Sí, y los que entonces murieron jóvenes serán jóvenes para siempre.

—Pero ¿cómo puedes conocer el sonido de la lanceta al caer?

—Lo conozco porque, como todos los escritores del mundo, yo estaba allí. Y he leído todo lo que ella declaró ante el Tribunal, y tengo las actas del juicio de Maese Félix y lo que no sé sobre ella lo siento cuando me miro al espejo.

—¿Cuál era la enfermedad de la hija de Maese Félix?

—Era la enfermedad de las mujeres, de la cual morían las reinas de España y las burguesas tanto como las lavanderas y las prostitutas.

—Pero tú dices que procesaron al médico. ¿Por ayudar a Selene? ¿Cómo es que no hay ninguna noticia de mujer tan notable?

—Has dicho bien, ninguna noticia de mujer.

—¿Y qué pasó?

—Si quitas tu mano de mi sexo y tu aliento de mi cuello, quizá puedas leerlo en lugar de leerme por dentro.

No habían transcurrido ni siete días desde la llegada de Ainur al pueblo cuando apareció en su mesa de desayuno el primer cuervo muerto.

El farero

El farero tiene cara de niño. Cicatrices de viejo. Arrugas que parecen caminos y que no llevan a ninguna parte. Ella yace sobre él. Con él.

Ella soy yo. Estamos en la casa que la viuda Rius dejó a mi abuela a cambio de oscuros favores. La cama es de hierro, tan vieja como las montañas. El amor es lo único nuevo en este cuarto, tan nuevo que nos parece que nadie se ha amado antes de nosotros. Que no ha vivido nadie antes de este instante. Nuestra vida entera parece un sueño. Un cuento que le contamos a los otros. Porque la vida de verdad sólo existe aquí y ahora. En el áspero contacto de las sábanas, en el viento que silba envidioso allá fuera, en el cansancio que nos va arrinconando los párpados. La rama de un árbol golpea contra la ventana como si llamara a la puerta. No nos sorprenderíamos si viniesen en cualquier momento a detenernos por habernos deseado tanto. Para llegar aquí, hemos roto una norma del cielo o del infierno. Hemos debido de ser muy desgraciados para cobrarnos toda la felicidad de un solo trago. Pero no importa. Porque hoy es día de cobro. Se acabaron los malos tiempos. Estamos juntos. Hoy. Esta tarde. Esta misma noche.

Basta un solo gesto para destruir la ilusión de que todo va bien. Por eso no nos movemos, queremos que el instante se quede quieto con nosotros, para que permanezca, para que el tiempo nos olvide, para que el tiempo nos perdone y se esconda con nosotros, debajo de las sábanas. Sobre el viento.

Pero le digo que me traiga un vaso de agua. Es una petición infantil, lo sé. Quiero pensar que puedo pedirle algo a un hombre y que lo hará. Pedir agua. Agua para el que tiene sed. Sed de tiempo. Tiempo de ganar y de salir ilesos. Sólo que no estamos ilesos, claro. Sólo lo parecemos. Y, de repente, el tiempo nos alcanza.

Me insulta. Lo miro como si me hubiese apuñalado.

—¿Por qué me humillas? —me dice—. ¿No te has dado cuenta?

—Darme cuenta ¿de qué?

—¡Oh, Dios mío! ¡No lo sabes! O lo finges, ahora tendremos que empezar de nuevo desde el principio, tendré que creerme que no te importa, que me aceptas como soy.

—¿Qué hay que saber? ¿Por qué me miras así? Como si nos acabáramos de conocer. Como si nunca me hubieras tocado. Como si no hubiera existido esta tarde, esta noche.

De un golpe seco igual que se dice adiós y se apuñala, levanta la sábana. Veo el muñón. Liso como los troncos cortados por el hacha. Veo la pierna de plástico todavía con el zapato y el calcetín enroscado en las colchas viejas y en mi estupidez.

—Pero nunca cojeas, nunca has cojeado.

—Perdí la pierna siendo muy niño, tuve tiempo de aprender a andar. Es tan mía como la otra.

—Tú también.

—Sí, Ainur, yo también soy cojo. Como muchas de mis novias no te has dado cuenta o no has querido darte cuenta. Lo invisible es esencial a los ojos.

Aquí en este pueblo nada es lo que parece.

Ainur

El lunes apareció un gallo degollado delante de mi puerta, el martes una gallina en los escalones, el miércoles un gato estrangulado en el hórreo, el jueves un conejo muerto a la puerta de la ermita de Santa Magdalena, que está en la plaza, casi frente a mi casa. El viernes estaba acurrucada en los brazos del farero, que me cantaba bajito y con voz ronca como si entonara una nana y yo fuera un bebé que no podía dormir.

Si me duermo, todo se arreglará. Si ahora me quedo dormida en sus brazos no podrán encontrarme. Estaré a salvo.

Y no me duermo, no puedo dormir desde que apareció el cuervo muerto en mi mesa de desayuno.

Selene

Trabajé una semana en un villorrio al sur de la frontera. Los niños llevan la cara sucia y los puños apretados. Sus madres temen más al Diablo que a la muerte, pero pagan para que les libre de la peste que avanza lentamente desde Francia.

Les digo que se laven las manos. Pero no les basta. Les digo que no dejen entrar en su pueblo a los forasteros que vienen de las ciudades de la plaga. Se ríen. Les rezo un ensalmo. Pongo los ojos en blanco y hablo en una lengua extraña. Entonces aflojan las bolsas y los corazones. Atiendo el parto de una mujer. Hiervo el agua como me enseñó mi tía. Me lavo las manos. Lavo todo. Quemo los paños. El marido no lo aprueba. Ella y su bebé sobreviven. El marido me paga bien mientras sus otros hijos, huérfanos de su primera mujer que murió de parto, me miran asustados y se santiguan.

Le digo que no escatimen los huevos ni la leche con ella, ni la dejen fatigarse estos primeros días. No tiene fiebre pero toda precaución es poca. Me quedo en el pueblo hasta que sé que todo va bien. Ella me besa las manos cuando me voy. Tenía miedo, dice, los soldados pueden escapar pero una mujer embarazada, ¿qué puede hacer para huir de la muerte?

—Llamarme —le respondo, y parto con mi mulo antes de que el marido comience a hacer preguntas.

A la salida del pueblo, veo a una mujer ahorcada en una higuera. Los niños descalzos le tiran de la falda que los orines han vuelto oscura. La han ahorcado por bruja.

Me llamaron porque estaban desesperados. Después de tres días de parto, de gritos, de carreras, de rogativas, de artemisa y ruibarbo, el heredero del sastre seguía sin ver la luz. Lo que vio la luz fue un bracito con la mano extendida que se agitaba, sin que supiésemos si nos decía hola o adiós. Tras algunos movimientos, el brazo quedó desmayado y flojo como un pene, entre las piernas abiertas de la buena mujer.

María gritaba:

—¡Sacádmelo!, ¡sacádmelo!

En ese momento, el barbero le dijo al sastre que debía elegir entre la vida de su mujer y la de su hijo. María, la parturienta, que lo oyó, soltó un alarido y con sus últimas fuerzas me mandó llamar.

—¡No me mates, Mauricio! ¡No me dejes morir! ¡Echa a este criminal y llama a Selene!

No sé si Mauricio me hubiera mandado a buscar, pero la madre de María, que había oído al barbero, a pesar de su edad y su cojera no tardó ni cinco minutos en llamar a grandes gritos a mi puerta.

—¡Salva a mi hija! ¡El niño se ha dado la vuelta!

Había llevado conmigo una redoma de aceite de eneldo y un poco de manteca. Me unté con ellos la mano y con suerte y un poco de ayuda de María volví a meter el bracito en el enorme y abierto vientre de su madre.

El sastre sudaba.

—Parece mentira que todas las personas que conozco hayan venido así al mundo. ¿No habrá otro modo?

—¡No dejes morir a mi hija! —gemía la madre de la mujer que estaba en trance.

—¡Ay de mí! ¡Confesión! ¡Ayuda! —gritaba la parturienta.

—¡Silencio! Con tantos gritos vamos a asustar a la criatura. ¡Aquí no se muere nadie hasta que yo diga! —grité. No sabía lo que decía, pues también yo me había dejado arrastrar por el histerismo de los presentes y sabía que cada minuto madre e hijo estaban más cerca del otro mundo.

Ordené a la madre que enjugara el sudor de la parturienta y al marido lo mandé a por agua hervida. Todo ello para mantenerlos ocupados. Yo me remangué y, apoyándome en el vientre de la madre, usé todo mi poder para voltear el hombro de la criatura hasta que vimos asomar de nuevo la coronilla por el túnel que la madre naturaleza ha dado a las mujeres.

Luego le dije a la parturienta, mientras le sostenía la mano:

—Ahora grita y haz fuerza con todas las del cielo y las del infierno.

Mientras, puse todo mi peso sobre su vientre para ayudarla y así, entre las dos, vimos salir la cabeza y luego el hombro y al final todo un hombrecito, que rompió a llorar al sentir el frío terrible del mundo. El suelo había quedado inundado de sangre y heces, sin embargo el niño estaba limpio y sonrosado. Parecía purificado por la sangre. Su madre le apartó un coágulo de un rizo y lo apretó contra sí, mientras yo cortaba el cordón umbilical y lo ataba con un pedazo de bramante. El recién nacido era minúsculo, con la cabeza poco mayor que la palma de mi mano. Le limpié con mi manga las orejas, los ojos, la boca diminuta y lo puse sobre el regazo de su madre. La mujer sacó un pecho hinchado y enrojecido y el pequeño se abalanzó sobre el pezón. Allí se quedó enroscado y deseé que fuera tan feliz en su vida como en ese momento. El cordón azul dejó de palpitar, se arrugó y se puso blanco.

El otro extremo del cordón seguía colgando del cuerpo de la mujer. Al cabo de unos minutos, se movió y una masa roja como un buñuelo de sangre se desplomó sobre las losas del piso. Era la placenta. La sangre siguió manando, empapó el jergón y empezó a brotar como si quisiera calmar la sed del universo. Limpié como pude las manchas, pero las vetas rojas reaparecieron.

La parturienta seguía sangrando: un arroyo salía de su vientre y se escurría por debajo de la puerta.

—Parece la matanza del cerdo —dijo la recién parida. Y me di cuenta de que tenía fiebre.

—¡Oh, Dios! Es lo mismo que le sucedió a mi hermana —gimió el sastre—. ¡Mi mujer va a morir! María, debes rezar y arrepentirte de tus pecados.

—Rezar es siempre bueno, hermano, pero con la ayuda de Dios todavía no le ha llegado la hora —intervine. Y seguí restañando la sangre, que volvía a brotar. Me sentía como el muchacho que pretende vaciar el mar con una concha.

María, la mujer del sastre, estaba pálida, había dejado de quejarse y creo que ni siquiera nos veía.

Pedí a la abuela que trajese una sopa clara, caliente pero que no quemase, y que se la diese a la recién parida.

Levanté el vestido de la joven. Su vientre era como un globo desinflado. Palpé la carne trémula y la mujer gimió. Como me había temido, el útero estaba blando. No había conseguido contraerse y seguía sangrando. Comencé a masajearlo.

—¿Eso sirve? —preguntó el marido.

—Algunas veces.

Pero la inundación roja seguía imparable. Coloqué mis dos manos justo por encima de su ombligo y con una gran inspiración, pregunté:

—¿Alguien sabe contar hasta cien?

Nadie sabía, así que les dije que rezaran un padrenuestro y conté yo misma, muy despacio, haciendo toda la fuerza que podía y pidiendo en mi corazón a algún Dios que no hiciera parir a las mujeres.

—¡Ha dejado de sangrar! —exclamó la madre de María.

Recé para que la sangre no volviera y seguí apretando. Entonces, levanté lentamente la mano. Todos estábamos inmóviles. El tiempo se detuvo. La madre de María se había quedado petrificada con los brazos extendidos y el cuenco de sopa alzado hacia el cielo, como en la consagración de una misa. Ni siquiera el bebé se movía.

No hubo más sangre. Hubo abrazos, besos y dos ducados. La mujer del sastre abrió los ojos y se tomó la sopa. Todo el pueblo se alegró, menos el barbero.

Aínur

Hay dos libros importantes para nosotros —le digo mientras le quito el flequillo de la cara—: uno el *Lazarillo de Tormes,* el libro que nos unió, el libro que condenó a Selene y que ella misma pudo haber escrito, puesto que es anónimo y bien pudiera haberlo escrito una mujer.

—Es imposible que una mujer escribiera el *Lazarillo* —dice él mientras busca mis pezones.

—¿Por qué? ¿Son más estúpidas? —le digo, y me escurro bajo su cuerpo sudoroso.

—No lo son, tan sólo es improbable porque la mayoría de las mujeres de ese siglo estaban entregadas a la tarea de parir y fregar o bien a la de rezar. Putas, casadas y monjas, no había otra cosa —dice él mientras pone su boca sobre mis nalgas.

—Estaba Selene, una mujer que vivía de practicar la medicina... —Me deja sin aliento con el suyo, pero consigo apartarle, no quiero acabar así la conversación.

—Casi no había Selenes, ella estaba fuera de lugar y, como todo lo que está fuera de lugar, fue suprimida.

—¿Y si no hubiera muerto en la hoguera, y si es cierto que se refugió en un monasterio y escribió libros? —Busco su boca y el fin de nuestra discusión pero no encuentro ninguna de las dos cosas.

Selene

Selene no tuvo tiempo de preocuparse por los animales degollados en su puerta y las extrañas voces que la acechaban. Llegó noviembre y con él llegó el Diluvio Universal. Llovía barro y sangre. La lluvia manchaba el mundo y ponía legañas en los ojos. Nadie requería sus servicios y el aceite menguaba en su alcuza casi tanto como el ánimo en su corazón, que flaqueaba, que boqueaba como un pez fuera del agua y sólo cobraba impulso cuando oía que llamaban a la puerta y una vocecilla de mujer o de niño la requería para sanar un alma o un cuerpo. Sanó a dos enfermos del cólico miserere y otro se le murió pero sus familiares supieron reconocer que la habían llamado a destiempo. Cobró con ello tres ducados y un poco de esperanza. Con el tiempo las malas lenguas habían de callar y ella podría tornar a vivir tranquila sin que nadie la molestara. Su vida era solitaria, casi no tenía conversación más que con su mula, que se llama *Verdad,* y con su gato, al que había nombrado *Niebla.* Satán, el gran perro negro, era un ser libre, aparecía y desaparecía y nunca le faltaba un pedazo de carne y un lugar junto al fuego. Algunas veces venía a verla Casilda, su única amiga, la viuda costurera. Pero eran pocas veces porque Casilda ya estaba mayor y tenía miedo a la lluvia y a los malos humores que traía, y a las habladurías las temía más que a la enfermedad.

Selene soñaba con volver a ver al caballero del rojo gabán, pero no sabía si tal cosa iba a producirse o si moriría soltera, como su tía. Soltera pero no virgen, pensaba con regocijo. No comprendía que el mismo acto del que los hombres se jactaban en las tabernas fuese una vergüenza para las mujeres.

Se lo contaba a Casilda mientras le preparaba algún remedio para el dolor de sus huesos.

—Todos venimos del mismo sitio y vamos a ese mismo sitio. Si nuestros cuerpos son templos, el de la mujer debe ser el más sagrado pues es capaz de dar la vida. Y de hecho la vida no viene más que de las mujeres. Ellas hacen girar las ruecas y el mundo.

—Calla, Selene —le decía Casilda—. El mundo no gira, sólo lo hacen las ruecas, y todo sucede por voluntad de Dios. Si es que hay Dios.

—Ahora sí que lo has acabado de arreglar. Acabaremos las dos en manos del Santo Oficio.

—Calla, calla —se persignaba Casilda—, que estas palabras no han de salir de aquí.

Otras veces Casilda trataba de convencerla para que abandonara su oficio:

—Podrías colocarte de nodriza o de rolla, que son oficios dignos para una mujer. No es cierto, como dices, que tu arte de sanar sea la única manera digna que tenemos de ganarnos la vida.

—Una nodriza es una sirvienta que ha parido, y una rolla cuida de un niño que no es suyo, es una criada más de la casa. Yo soy libre y sé leer.

—Ay, por Dios, olvidé que la princesa sabe leer igual que un clérigo. Verás que esa habilidad tuya no te traerá sino problemas. Podrías coser como yo para las casas nobles.

—Casilda, tú malvives de coser y vives de los arrendatarios que te dejó tu difunto marido.

—Es verdad, pero sanar se ha convertido en un oficio importante, en cosa de hombres.

—Ya, mientras no fue importante pudimos hacerlo nosotras las mujeres, limpiar el culo a los moribundos y respirar las miasmas de la Parca fue y es nuestra tarea, y ahora que es oficio insigne como todas las cosas buenas es para los hombres. Yo curaba en esta villa hasta que llegó ese medicastro de Valladolid. ¿Qué es eso?

Oyeron grandes golpes y pensaron que alguien estaba atacando la puerta con una barra de madera. A veces los mozos que volvían de la romería gritaban insultos a la puerta de las dos mujeres que vivían solas sin hombres que saliesen a perseguirlos. Selene no quería abrir pero los golpes eran tambores. Rompían los oídos y los nervios. Casilda se acercó a abrir y la derrumbó la riada que venía arrastrando dos cerdos muertos por la calzada convertida en catarata. Eran los puercos lo que había golpeado la puerta de Selene como si fueran espíritus. Apenas tuvieron tiempo de salir, Selene agarró a *Verdad* y puso en su grupa a *Niebla.* Ayudó luego a montar a la vieja Casilda y vieron cómo el río se tragaba la casucha de Selene, sus hierbas, sus libros y sus esperanzas. Y lo peor estaba aún por llegar.

Ainur

El farero me quitó las bragas mientras me explicaba que ni siquiera para las monjas era fácil escribir libros. La misma santa Teresa estaba siempre a vueltas con la Inquisición y, como todas las hermanas, tenía un confesor al que debía contar incluso los pensamientos más íntimos y secretos.

—¿Como los que yo tengo ahora?

—Peores. Como mujeres, no debían pecar por su cuenta, sus directores espirituales pensaban y pecaban por ellas.

Has hablado de dos libros, ¿cuál es el otro? —pregunta Magic y dibuja símbolos mágicos sobre mis pechos desnudos.

Me levanto y voy hacia un aparador. Vuelvo con un objeto pesado y se lo tiendo con una mirada entre pícara y enfadada. Si prefiere esperar, demorar el placer... Si se arriesga a hablar, hablaremos.

—MALLEUS MALEFICARUM.

Al decirlo mi voz sonó como una guitarra rota. Le tendí al farero el libro negro, que se agazapó en sus manos como un gato mimoso.

—El azote de las brujas. En este libro se encuentran las peores mentiras que se han dicho sobre las brujas. Y sobre las mujeres.

Le cuento que, en el tiempo en que este libro se escribió, ambos conceptos eran sinónimos, y unas y otras estaban malditas. Quizá por ello, aquí se describen con detalle treinta y cinco maneras diferentes de torturar a una bruja. Este libro es el catecismo de la misoginia de la Iglesia católica. Lo escribieron dos inquisidores dominicos en 1486. Su prólogo es una bula papal.

El libro cae al suelo a los pies de Magic, que pisotean el aval del Papa.

—«Summis Desiderantes», bula promulgada por Inocencio VIII en 1484 —leí en voz alta.

—Es un libro que mata. Tantas veces se ha matado por un libro... Este libro es el mal, contiene la locura. Fue como un arma cargada contra las mujeres. El libro y el edicto del Vaticano que nunca se ha derogado, por cierto, tilda a las brujas de adoradoras de Satanás. Permitía recurrir a la tortura para arrancar confesiones. Desencadenó la más terrible histeria contra las brujas en toda Europa. Fue el libro más leído de su época, aparte de la Biblia. Era una guía para la caza de brujas y sirvió para cometer algunos de los más espantosos actos de crueldad y violencia que haya podido concebir la mente humana. Todo nació del miedo que infundían las mujeres a la Iglesia.

—Coge la página que quieras y lee.

Magic leyó, con voz tan varonil que las terribles palabras me parecieron susurros obscenos:

«La brujería surge del apetito carnal, que, en las mujeres, es insaciable... Cuando una mujer piensa por sí misma, piensa en el mal... Las mujeres intelectualmente son como niños...».

—Las mujeres son mentirosas —seguía diciendo—, débiles mentales que necesitan el constante control masculino. Ellas son responsables de la impotencia del hombre, ellas lo seducen y destruyen su alma. La voz del libro es la voz de un sacerdote anciano al que las mujeres han rechazado desde su juventud: acusaba a las brujas de pactar con el Diablo, de tener relaciones sexuales con él, del sacrificio de bebés, de comerse a los niños...

—Ésas son casi las mismas acusaciones que se hacían a los primeros cristianos —dice Magic.

—Las mismas acusaciones que en la Edad Media se hicieron contra los judíos; las acusaciones que se hacen cuando alguien necesita un chivo expiatorio, cuando golpean el hambre, la pobreza y la ignorancia y somos incapaces de buscar la culpa dentro de nosotros mismos.

—Y la buscamos en el otro.

—Y las mujeres eran el otro de aquellos hombres que las temían y las deseaban. ¡¡El libro las acusa de volar por los aires y de hacer desaparecer el pene de los sacerdotes!!

Magic se reía más fuerte.

—Ya de niño temía que una bruja se comiera el mío...

—No hagas bromas sobre la sangre de tantas mujeres. Mira cómo acaba el libro, con una alabanza a Dios: «quien hasta entonces ha protegido al sexo masculino de un crimen tan atroz».

Me temblaban las manos cuando cerré de golpe el libro que parecía tener dientes. Yo los había sentido en mi piel, porque las palabras también pueden morder. Lo sé.

«Fue el Holocausto de las mujeres», le digo y le mando callar, como si estuviéramos en clase y yo fuese su profesora. Eso le excita. Me mira con lascivia o adoración.

—No lo sé, pero pronto lo descubriré.

Éramos malditas. Todo el mundo sabe que existió la Inquisición, pero la persecución de los tribunales civiles fue aún más cruenta. Durante unos siglos la locura contra las brujas recorrió Europa. Como mínimo, cien mil personas, casi todas mujeres, fueron ejecutadas basándose en unas «confesiones» arrancadas mediante las más viles formas de tortura. A los que la Iglesia no podía dominar, los destruía mediante la caza de brujas. Si había una guerra y la guerra traía el hambre y tras el hambre la plaga, nunca era culpa de los reyes, de los señores, de los obispos o del mal gobierno. Como no podía ser culpa de Dios y el Diablo era demasiado abstracto, era culpa de las mujeres. Era obra de las brujas.

Había otro libro. Todo está en los libros, incluso el horror: cajas con lanzas en su interior en las que metían a las mujeres perforando sus cuerpos; potros que arrancaban de cuajo las extremidades; camas hechas de clavos; una «silla de bruja», asiento metálico bajo el que se prendía fuego; la «brida fustigadora», dispositivo de hierro que clavaba púas en la lengua de la víctima, y cosas peores. Tenía los grabados en la mano, incapaz de mirarlos y también de desviar la vista hacia otro lado.

—La mayoría de las pruebas para encontrar una bruja eran aberraciones sexuales. Para efectuarlas siempre se desnudaba a la mujer. Así nace el oficio de cazador de brujas.

—¿Cazadores de brujas?

—Cazadores de brujas profesionales. Para ganarse la vida con ello estaban obligados a descubrir brujas en cada esquina. Recibían una suma de dinero con cada condena. Y cualquier información se pagaba con un buen dinero.

—Los vecinos denunciaban a sus vecinos y los hermanos a sus hermanas.

—Era como el estalinismo.

—Era como han sido siempre las persecuciones. Nadie es inocente, hasta que se demuestre lo contrario.

—¿Y cómo puede alguien demostrar que es inocente? ¿Qué hacían para «desenmascarar» a las supuestas brujas?

—Pinchaban con agujas y atizadores candentes el cuerpo desnudo de la víctima. Ninguna mujer estaba a salvo. Las pobres y las que no tenían un protector poderoso, las hermosas y las huérfanas y las viudas, miles de viudas, eran las primeras en caer. Cualquiera podía ser una bruja. Todas éramos sospechosas. Fueron siglos de terror.

—No eran cazadores de brujas. Eran sádicos que disfrutaban sexualmente con su sufrimiento.

—Puede ser. Muchos eran frailes. Justificaban sus salvajadas afirmando que las brujas llevan una señal en el cuerpo. La señal del Diablo. Un punto donde el dolor no existe.

—O sea, que el Diablo te quitaba el dolor, y los mensajeros de Dios debían infligírtelo.

—Practicaban también la prueba del agua. Ataban a la mujer y la echaban al agua. Si se hundía era inocente.

—Inocente pero muerta.

—Si se movía para mantenerse a flote o lograba flotar, era culpable y moría en la horca o en la hoguera.

Así murieron muchísimas mujeres. La mayoría eran curanderas o parteras. En Francia, Aldegonde, de setenta años, harta de las habladurías sobre su supuesta condición de hechicera, se entregó para limpiar su nombre. Fue estrangulada y arrojada a la hoguera. Chiara Signorini era una campesina italiana que curaba la mayor parte de los males, crimen tan grave que mereció la cárcel de por vida.

—Entonces no todas acababan en la hoguera.

—No siempre. En Cataluña las ahorcaban. Hay que decir que en España la Inquisición era muy benévola con las brujas. La mayoría recibían una pequeña penitencia e incluso el Santo Oficio salvó a muchas de las iras de los lugareños. Las grandes persecuciones ocurrieron en Francia, en Alemania y en Inglaterra. Sin embargo, aquí no faltaron grandes procesos y brujas famosas como las de Zagarramundi...

—Y Selene, tu bruja.

—Y Selene, mi bruja, un caso especial, inusual, extraño. Estuve a punto de dedicar mi tesis a la terrible historia de Walpurga Hausmanin. Era una comadrona que vivía en Dillingen, un apartado pueblo de Alemania. Le destrozaron los pechos con hierros candentes, luego la dejaron sin brazos. Cortaron su mano derecha y después fue quemada en la hoguera. Todo ello por orden del obispo de Augsburgo, que se quedó con todas sus propiedades. También parece que, antes de morir, la violó y la sodomizó.

—El Diablo era él.

—Era un diablo que decía actuar en nombre de Dios. Torturaban a las mujeres hasta que confesaban y en el tormento todas confesaban lo que querían los jueces. Por eso todas las confesiones se parecen. Los cazadores de brujas eran seres diabólicos. Como ocurre a menudo con los perseguidores, encarnaban todo lo que decían perseguir y se valían de la mezquindad, de la envidia, de lo pequeño, oscuro y vil que atesora el alma humana. Murieron, sin duda, las mejores, las más sabias. «Bruja» en inglés es *witch*, que tiene la misma raíz que *wise* y significa «mujer sabia». Lucharon contra el saber en las mujeres, sobre todo el saber médico porque la sabiduría era el poder. La principal persecución no tuvo lugar en la Edad Media, como se cree, sino en los siglos XVI y XVII. Al crearse las universidades, que estaban prohibidas a las mujeres, los hombres se arrogaron el poder de la medicina; el poder de curar que, como el de cuidar niños, enfermos y heridos en el combate, había sido siempre de las mujeres. Ahora los hombres descubrieron la importancia que tenía y echaron a las mujeres del templo de la medicina. Todas las que curaban eran brujas. Del último lugar de donde alcanzaron a echar a las mujeres fue del parto.

—Se dieron cuenta de que las mujeres ya tenían el poder de dar la vida. Si se les permitía arrogarse el poder de evitar la muerte, no habría manera de someterlas.

—Por eso les quitaron la vida.

—Sí, les quitaron la vida y el saber, para que siguieran siendo esclavas, vientres que se hinchan, piernas que se abren ante el amo. Labios que chupan el poder del amo. Culos que se inclinan. Para que hicieran a los hombres lo que los hombres les acusaban de hacer al Diablo. Porque el Diablo eran ellos. Los hombres, los amos, los hombres que querían suprimir a las mujeres y el aquelarre era su sueño de orgía sexual con rito sadomaso.

—Interesante.
—Verdadero.
—No puedes probarlo.
—Lo probaré.

Selene

Le había dicho a aquel médico estúpido que se lavase las manos. Se lo había rogado con su voz más zalamera y no había servido de nada. El médico venía de atender a un anciano moribundo de fiebres, sin lavarse las manos ni componerse el alma se había precipitado a traer al mundo al hijo de aquella joven de dieciséis años, una joven que ya no cumpliría los diecisiete, que ya no sería abuela ni vería crecer a su hijo porque había muerto de fiebres tres días después del parto.

Aínur

Es una noche con la luna cortada a dentelladas y colgada del cielo frío como un melón que se ha dejado para luego. La niebla no quiere acabar de comerse a la luna y juega con los acantilados. Si se escucha bien, se oye el mar romper furioso contra las rocas. La sombra también está furiosa cuando se recorta contra el copete de la mina de carbón que cerró hace tanto tiempo. La sombra se mueve con determinación hacia la casa dormida. Los hombres hace rato que se han dormido y los pájaros todavía no se han despertado. Sólo el caballo está despierto y ve cómo la sombra se desliza por un boquete en el seto. La sombra se detiene. Comienza a farfullar palabras ininteligibles que suenan bien. Lo importante es el tono hondo y tranquilizador. Íntimo.

Al cabo de unos minutos la sombra volvió a avanzar despacio. Apenas había dado unos pocos pasos cuando el caballo lanzó un breve relincho. Al oírlo, la sombra se detuvo petrificada, pero al poco volvió a avanzar sin dejar de emitir su letanía de disparates con un tono hondo y tranquilizador. La sombra se mantenía erguida y, aun en la oscuridad, el caballo sabía que le estaba mirando a los ojos. La voz seguía sonando como la lluvia; se acompasaba con los pasos, el cuerpo de la voz susurraba todo el tiempo una sola palabra: confianza. El caballo confió, no se movió cuando la sombra llegó junto a él y lo acarició, mientras seguía hablando y ponía las palmas sobre la cerviz caliente y sentía el latido de su corazón desbocado. No se movió ni siquiera cuando la sombra le llevó la mano a la panza ni cuando el gorgoteo de la voz cesó y comenzó a alejarse, callada y culpable.

Y por qué no escribes una novela sobre las brujas?

—No creo en las novelas, yo sólo escribo cosas que han sucedido, que están sucediendo en este momento o van a suceder. No tengo talento para las cosas que no han sucedido de verdad, eso lo dejo para Eugenia.

—¿Qué Eugenia?

—Eugenia Rico, aquella amiga de la infancia, la que me enseñó a no ser escritora.

Y por qué no haces un documental? Podríamos usar mis fotos y tus textos. Haríamos juntos algo que quedase en lugar de besarnos en un desván.

—La fotografía es luz y la novela es tiempo —le digo—. La novela es una trampa para detener el tiempo, un artefacto de tiempo, una bomba de relojería. Una novela honesta sería aquella en la que el tiempo empleado en leerla fuera el mismo que transcurre en la acción. Una novela así suele ser insoportable. Nadie quiere que una novela sea honesta. Las tesis doctorales, la Historia, las matemáticas son honestas, de una novela no esperamos que nos diga la verdad sino que nos engañe.

Las novelas siempre son verdad, son nuestras vidas las que son falsas.

Por eso no escribiré una novela sobre Selene. No podría soportar tanta verdad.

Si hoy no aparece ningún animal muerto, el farero me querrá y los matones no me encontrarán.

Era domingo y las campanas de la ermita de la Magdalena repicaban a muerto cuando apareció el primer anónimo.

Estaba clavado en la puerta de su casa con un cuchillo grande y basto como los que usan los carniceros de mala muerte, un cuchillo de esos que alargan la agonía de las pobres bestias.

Contuvo la respiración mientras leía y acabó tosiendo.

> Estás enamorada y no creerás mis palabras pero el hombre al que amas no es bueno, ha violado y matado a mujeres que valían más que tú. Es el mismo Diablo. Pero estás enamorada y no creerás mis palabras.

Bajó por el pueblo con el anónimo arrugado contra su corazón como si fuera una carta de amor. La vieja de la tienda le dijo que nadie acababa de morir. El que enseñó a tocar las campanas al viejo sacristán sólo sabía tocar a muerto.

Si descubro quién ha escrito el anónimo estaré a salvo. Si veo un cuervo esta mañana, descubriré quién ha escrito el anónimo.

Hay una casa. Está en el extremo más alejado del pueblo. Es de piedra y tiene los balcones azules. No puedo dejar de mirarla. Las ventanas están siempre cerradas, los postigos están bajados. Se diría que no vive nadie pero la casa está inmaculada, perfecta como una concha cerrada. Cada mañana dejan el periódico en los escalones y misteriosamente desaparece. Los vidrios de las ventanas cerradas relucen. Dicen que ahí dentro vive un hombre que no deja que entre la luz del día. Un hombre que sólo sale de noche. Dicen de él que fue sacerdote. Yo le llamo el Señor Oscuro.

Dicen que la casa del Señor Oscuro está llena de rostros horribles y negros, dicen que una vez un niño entró y cayó muerto al verlos. Dicen que sólo son máscaras africanas. Dicen que fue misionero. Dicen que fue traficante de armas. En el pueblo nadie se mete con él. Lo ven muy poco y casi lo han olvidado. O no se atreven a recordarlo.

Las mujeres todavía dan miedo, están demasiado cerca de la tierra, son como las cuevas por donde lo oscuro se comunica con la vida. Los hombres maltratan a las mujeres porque las temen como temieron a sus madres. Con deseo. Con desprecio. Con desesperación».

Estoy sola escribiendo y tengo frío. Pienso que ya no tiene sentido que escriba sobre las brujas del pasado, que debería ocuparme de la caza de brujas de hoy en día. Los verdugos tendrán otros nombres, pero serán los mismos. No sé si lo que hago sirve para algo. Es la repetición la que está acabando con el mundo. «Que todo cambie para que todo siga igual», dijo el Gatopardo. El amor sólo merece la pena cuando crea el espejismo de que sucede por vez primera. Cuando la historia se repite demasiado, deja de ser historia para ser cansancio. Tengo frío y tengo miedo. Sin embargo, algo me dice que debo seguir escribiendo. Que debo seguir buscando a Selene. Que la encontraré no sólo en los legajos, en los manuscritos de finísima vitela de polvorientos archivos y legados privados. Siento que encontraré a Selene en algún recodo oscuro de mi vida. Sé que, cuando esté a punto de olvidarla, ella me mostrará el camino. Ese camino que no sé adónde lleva.

Consuelo

Tengo la única tienda de este miserable pueblo, así que no se mueve ni una hoja a este lado de los acantilados negros sin que yo me entere. Y me lo tomo muy en serio. Yo soy, en cierto modo, la guardiana del pueblo, de su moralidad y de sus remilgos, de sus pecados y de sus pequeñas mezquindades, porque queremos ser buenos pero ya sabemos que no somos santos.

Al principio, algunos desconfiaban de mí pero, con el tiempo y el aburrimiento, todos han ido contándome sus historias, porque aquí hay poco que hacer. Antes, cuando todo el mundo salía a faenar a la mar y los campos se araban con el arado romano, era casi imposible encontrar tiempo para rascarse las costras del alma; pero ahora, con el tractor y los franceses que ya no nos dejan faenar el bonito, con las prejubilaciones y las carreteras que no han servido para que la gente venga sino para que se vaya, con todo eso hemos ido haciéndonos viejos, que es como decir que por aquí somos todos hermanos en nuestra vejez, y los que de jóvenes me despreciaban y me llamaban tuerta han acabado viniendo a sentarse aquí, delante del fuego de la estufa que siempre arde en mi tienda, tanto en invierno como en verano y uno tras otro, de buena o mala gana, me han confesado sus pecados.

Ainur

Un día fue el cuervo degollado en la mesa de mi desayuno. Una mañana apareció el primer anónimo. Hay un loco en este pueblo. Yo no sé quién es pero él sabe muy bien quién soy yo.

La vieja de la tienda se llamaba Consuelo. Me contó muchas cosas. Sabía la historia de todos los del pueblo. Me habló del farero que tenía fama de loco. Me habló del Señor Oscuro que tenía fama de santo.

Me contó la historia de los dos gigantes cojos y la historia de Gago, el cartero, que conduce el todoterreno que sube por las pistas hasta la carretera de asfalto.

Me contó la historia de la ayahuasca y el Señor Oscuro.

Incluso me dijo que su madre le había oído referir a su madre la historia de Selene, la santa a la que quemaron por bruja en la plaza de este mismo pueblo hace más de trescientos años.

Pero ni siquiera Consuelo pudo decirme nada de la vida del farero.

El Señor Oscuro sólo salía de casa una vez por semana para jugar al billar en los locales de la parroquia.

Era un jugador tremendo, le gustaba ganar y le gustaba apostar. Aunque hacía tiempo que nadie apostaba con él porque ganaba siempre y nadie jugaba con él porque ni en el pueblo ni en los alrededores había nadie con quien pudiera competir. Sin embargo, el Señor Oscuro seguía jugando los sábados. Partidas solitarias. Su mano izquierda contra su mano derecha. Hacía apuestas contra sí mismo y se prometía las más fabulosas recompensas y los peores castigos. Claro que nadie sabía si los cumplía y nada le obligaba a cumplirlos, pero la mayoría pensábamos que sí. Era el tipo de hombre que piensa que un dios implacable vigila todas sus acciones atrincherado en su cabeza.

La mano izquierda del Señor Oscuro siempre ganaba a la derecha porque era zurdo. Le habían oído prometer que el día que ganara la derecha se iría del pueblo. Pero eso no ocurriría nunca porque la mano izquierda del

Señor Oscuro hacía lo que quería con las bolas de colores y parecía dominar con el pensamiento la bola negra. Nuestra opinión era que el Señor Oscuro sólo se iría del pueblo para yacer en el cementerio sobre el acantilado. Solía decir que era el cementerio más hermoso del mundo, donde los muertos gozarían de la misma vista que los ángeles si no tuvieran los ojos cerrados.

De alguna manera, ya había estado en todas partes y eso era como decir que no tenía adónde ir. Ya no era joven. Había sido misionero en Perú, donde aprendió a jugar al billar y a tomar ayahuasca. Las dos cosas le habían cambiado la vida.

El Señor Oscuro era también el párroco de la aldea. Para Consuelo y los demás lugareños, eso no tenía ninguna importancia.

Lo esencial era la forma en que jugaba al billar.

Selene

Dos bultos de barro y polvo, oliendo como boñigas de buey, se levantaron de la cuneta donde yacían los moribundos con los muertos. El diluvio había durado tres días. La riada había arrastrado a las personas, las cosas y los pensamientos hasta aquel recodo del camino, donde las carretas rotas habían encallado en los cuerpos de los que intentaban huir. También Selene y Casilda, con su pobre mulo, habían embarrancado allí, huyendo de la tromba de agua negra que se abalanzaba sobre el mundo. Oyeron gemidos.

—Están ya muertos —dijo Selene, viendo los ojos destrozados de los que gemían—. Toda mi ciencia no alcanza para componer un cuerpo al que se le ha roto el alma.

No obstante, Selene se detuvo cuando reconoció al tabernero. Tenía la cabeza rota y la sangre había convertido su cara en una máscara roja. Intentó restañársela, pero en ese momento el hombre lanzó un grito y quedó exánime.

También Casilda estaba cubierta de sangre, su pelo blanco lleno de postillas negras por el barro. Selene la ayudó a arrastrarse monte arriba. Había dejado de llover, pero no podían saber si el agua había cesado o si la desgracia volvería a golpear. Encontraron una cabaña que, en los buenos tiempos, habría sido refugio de pastores y ahora estaba medio derruida. Aun así, les dio cobijo mientras se palpaban los huesos y el agua y el miedo se les escurrían lentamente del cuerpo.

—Es el curso del río el que tiene que cambiar, Dios no tiene nada que ver.

—Selene, sólo Dios puede cambiar el curso de los ríos.

—Cuando los hombres se lo proponen, Casilda, son como Dios.

—No blasfemes, que estamos en peligro de muerte.

—He perdido todas mis medicinas, ni siquiera tengo láudano para dar a los moribundos.

—Recemos por ellos, Selene. La oración es el mejor láudano.

—Casilda, Casilda, ahora que le has visto las orejas a la Sin Nombre te vuelves meapilas... ¿No te das cuenta de que el Dios al que quieres que rece es el mismo que nos ha enviado esta plaga para hacernos morir?

—¡Ave María, Selene! Decir eso es pecado.

—¿Y los pecados de Dios? ¿No te das cuenta de que si Dios es omnipotente no es bueno y, si es bueno, no es omnipotente? O Dios lo puede todo y pudiéndolo todo no le importa nada que los hombres sufran y mueran, o es bueno y sufre por los hombres pero no tiene poder para ayudarlos.

—Selene, Dios es bueno. Pero el Diablo le pone mil asechanzas.

—Casilda, ¿estás diciendo que el Diablo es tan poderoso o más que Dios? Yo digo en cambio que el Diablo no existe. El Diablo son los hombres.

—¡Ave María! —se santiguó Casilda.

—Y los hombres son como Dios.

—A veces. Muy pocas veces.

Ainur

El viento sopla otra vez sobre la aldea. Rompe las ramas de la higuera que crece junto al cementerio. Desparrama las tejas sobre el tejado de la casa como si fueran los dados de algún misterioso juego. Rompe la veleta del ayuntamiento. Rompe el delgado muro que con tanto esfuerzo he levantado para protegerme del pasado. Para olvidarme de quién soy. Recuerdo la historia de Consuelo. Ahora me parece bajita e insignificante. La recuerdo cuando yo era niña como alguien muy grande. Era yo la que era pequeña. No tenía arrugas ni el ojo de cristal. Tenía la mirada verde y los niños la perseguían a través del pueblo. Vivía con su hermana en la última casa donde comienza el bosque. Entonces era la tonta del pueblo. Por todo eso no la reconocí. Creo que no quería reconocerla, no quería acordarme de aquellos tiempos del pan Bimbo, el jamón york; del paso del blanco y negro al color; del pichi a la falda corta; de *Barrio Sésamo* al cine de barrio; de ser hija de madre soltera a ser meiga, hija de una meiga y nieta de otra. Los demás niños se burlaban a veces de mí porque no tenía padre y de nada servía que les asegurase que sí lo tenía, aunque no viniese a ayudarme cuando me pegaban. Así que, para mí, era un alivio que se metieran con Consuelo. Al menos se olvidaban de mí. A los niños les gusta tener un monstruo del que huir y un animal herido del que reírse. Por eso los chiquillos la perseguíamos cantando su nombre: Consuelo, Consuelo, pero no hallábamos ninguno en ella. Ahora me doy cuenta de que no era tonta. Era malvada, con una maldad tan pura que parecía simpleza. Mi amigo Magic y yo nos compadecimos de ella aunque se burlaba de nosotros porque estábamos siempre juntos. Yo no tenía padre, Magic no tenía madre. Los niños perseguían a Consuelo y Consuelo nos perseguía a nosotros: «Son novios, son novios, la hija de la puta viva y el hijo de la puta muerta son novios».

Aquello nos volvía locos, le dábamos caza por las eras, hasta el principio del bosque de castaños donde los helechos ocultaban el suelo y las ramas no dejaban pasar la luz del día. Pero, a pesar de que cojeaba desde que era niña, siempre nos daba esquinazo y se refugiaba en el cementerio. El cementerio de nuestro pueblo está sobre el acantilado, encaramado a rocas negras que han salido del mar entre llamaradas de fuego hace muchos miles de años. Las rocas volcánicas se habían aprovechado para las tumbas de los pobres, mientras que los ricos habían encalado las suyas. Ahora el cementerio era una ciudad blanca y negra, siempre indefensa ante el mar enfurecido. Era el rincón de la costa donde el mar solía ensañarse. Golpeaba con un estruendo ronco como si quisiera afirmar que estaba vivo. Las olas rompían a los pies del cementerio con ira y la espuma mantenía húmedos los nombres de los muertos. Cuando había tormenta, las olas se tragaban el cementerio, pero éste siempre volvía a surgir renovado, más limpio y más hermoso. Por encima del mar. Porque ni siquiera el mar podía vencer a la muerte.

A pesar de todo ello, a nosotros, los niños, nos daba muchísimo miedo. Nos habían enseñado que las ánimas del purgatorio y los muertos que habían perecido sin confesar sus pecados andaban por allí como Pedro por su casa. De hecho, mi abuela afirmaba que los muertos vivían con nosotros en cada casa del pueblo, comían cuando nosotros comíamos y bebían vino invisible a nuestros ojos. Nuestros antepasados compartían el aire de nuestras calles que fue suyo antes que nuestro. Según mi abuela, no había que tenerles miedo, al menos no a todos; la mayoría de los muertos era buena gente como nosotros, sin mayores poderes. Aunque algunos... algunos sí que son malaje, decía mi abuela, y se callaba. Pero, en mi corazón de niña, eso bastaba para sembrar el terror, el terror en el que crecen los niños, terror a algo que no tiene nombre, horror a eso que crece bajo tierra y bajo nuestra minúscula pátina de civilización, porque ya de niños sabíamos que las reglas de urbanidad se habían inventado para disimular el monstruo que los hombres dejan libre cuando creen que no les ve nadie. Se vuelven peligrosos porque piensan que ni siquiera les ve ese ojo interior siempre abierto que vigila día y noche para que el lobo que llevamos dentro no se reúna con el que aúlla en los bosques.

En aquellos días todavía oíamos a los lobos, y a la curuxa, cuyo canto, también según mi abuela, anunciaba una muerte en el pueblo. Por eso nunca perseguíamos a Consuelo dentro del cementerio y ella se sentía a salvo allí. De lejos la veíamos, sentada sobre una tumba haciendo calceta, conversando animadamente. Hablando sola o con las olas. O con los muertos.

Cómo sabes lo que dijo Selene? ¿Y esa Casilda? ¿Existió? ¿O te las has inventado tú? ¿Cuentas la historia o te la inventas?

—No queda claro cómo se conocieron Selene y Casilda. Parece que Selene le salvó la vida curándola de unas fiebres y Casilda la alojó en su casa y a partir de entonces la siguió a todas partes. Corrieron rumores sobre la relación entre las dos mujeres que vivían solas sin hombres. Nunca llegaron a acusarlas de nada pero estaban en boca de todos. Casilda dio testimonio en el proceso de Selene. Gracias a ella, pudo acusársele también de herejía. Aunque esa acusación no prosperó.

—¡Pero era su amiga!

—Ante el tormento no había amigos; sólo, hombres y santos. Los seres humanos, que eran la mayoría, confesaban siempre ante la tortura.

—Sin embargo, tú me habías dicho que Casilda trató de ayudarla, que quiso contar todo lo que Selene había hecho el año de la peste.

—Y lo contó. ¡Vaya si lo contó ante el Tribunal! Su declaración llenó treinta pliegos. Pero, como verás, su testimonio no tuvo el efecto deseado.

El limpiaparabrisas limpia la noche. Los faros barren las curvas de la carretera. Zigzag. Zigzag. El sonido de la lluvia hace pequeños lunares a la oscuridad. En las cunetas se ven sombras extrañas. La carretera está mal asfaltada. Las ramas de los árboles golpean nuestro coche. No recordaba que el faro quedase tan lejos del pueblo. Pero queda lejos, porque llevamos una eternidad sentados en la intimidad de la lluvia y de los ojos que miran en la misma dirección. Hablando y perdiéndome en mi voz porque, cuando dos hablan en un coche, es como si uno hablara solo, como si le hablara a la lluvia o a la carretera y los pensamientos fueran esas sombras oscuras que uno ve en las cunetas y que, como mucho, son flores a los muertos.

El faro debe de quedar muy lejos porque, en las pocas curvas que separan el pueblo del faro, el farero me contó su vida. Yo le había explicado lo del anónimo. Le había preguntado quién le quería mal o nos quería mal. ¿Quién podría haberlo escrito?

No me respondió pero relató su vida.

Él había sido ingeniero aeronáutico. Pero Europa no quería gastar dinero en ir al espacio. Daba clases a niños en Madrid. Aquélla no era su primera vida. Me contó cómo pagó por una violación que no cometió, me contó su juicio y cómo en la cárcel llegaron a acusarlo de matar a un hombre. «Y el único hombre al que me interesa matar es a mí mismo». Y me contó cómo había llegado hasta aquí. Pensé que nuestras historias eran demasiado parecidas; que yo también, como él, había sufrido un doble juicio y una doble persecución. Pensé que la moderna Inquisición eran los periódicos, las televisiones, los tertulianos, que hablaban de lo que no sabían y trataban de vender periódicos, de subir la audiencia pasando por encima de lo que hubiese que pasar, no importaba si eras una pobre mujer de provincias o un profesor de gimnasia; si caías bajo la rueda de la gigantesca maquinaria de la maledicencia catódica estabas perdida. Cuarenta tribunales podrían absolverte pero el ojo de la cámara te perseguiría hasta el fin del mundo.

Las televisiones habían tomado el relevo a las cotillas de los pueblos; en este mundo en el que nadie sabe quién es su vecino, las teles creaban personas sobre las que cotillear.

La tele es la gran cotilla de este mundo sin cotillas. Para cotillear hay que conocer y en las ciudades todos nos desconocemos. La gente no tiene tiempo para conocer a su vecino así que le fabrican un vecino de papel, un personaje tan famoso que uno tiene la sensación de que lo conoce, alguien al que uno ve más a menudo que a su vecino, del que sabe cosas que a su vecino no se atrevería a preguntarle, como con quién pasó el último fin de semana, cuál es su plato favorito, qué anillo le regaló su novio, qué color le gusta más o qué perro le mordió de pequeño. El famoso es un vecino virtual. La gente sabía cómo era la ropa interior de Lady Di y no sabe cómo es la ropa interior de su vecino.

¿Cómo explicar si no que para millones de personas la vida de Lady Di fuera mucho más importante que la de su vecino de escalera? Es difícil que Lady Di cambie tu vida y tu vecino podría cambiarla aunque fuera porque su novia lo deja, se suicida por amor cortándose las venas en la bañera y, de resultas, inunda tu casa porque el agua se desborda. El agua de la bañera de Lady Di nunca va a llegar a tu casa, pero te da lo mismo porque Lady Di es real para ti. Está viva para ti aunque esté muerta. Tu vecino sólo es un fantasma. Alguien hecho de cosas banales como la carne y la sangre y no de la sustancia del dios de nuestro tiempo. El vecino es un fantasma porque no está hecho de papel satinado, ni de plasma, ni de trescientas sesenta y cinco líneas, los materiales de los que se nutre el corazón del dios insaciable de nuestros días. Por eso lloras por Lady Di y no lloras por tu vecino. No es que no tengas sentimientos, es que no tienes imaginación.

Porque para todas esas personas lo real sólo existía si eran capaces de verlo a través de una pantalla. Las pantallas son los preservativos de la mente, desde el siglo XX, que no XY, el siglo de la mujer y no del hombre, el siglo del sida mental; las pantallas se ponen entre la realidad y tú, y sólo parece real lo que ves a través de ellas. Y resulta que ahora yo estoy al otro lado de la pantalla, en un pueblo real, con cotillas reales que espían detrás de las puertas, un pueblo donde todos son cojos y la niebla es tan espesa que perturba la señal de televisión.

Igual que para el farero, para mí la televisión ha sido la Inquisición.

Una Inquisición que tiene espías en cada casa, colocados en cada estantería.

Para la mayoría de las personas no existes realmente hasta que te ven por televisión. Mientras tanto no eres más que un espectro. Tienes apariencia de realidad pero no eres real porque para ellos sólo lo es lo que se ve a través de una pantalla. Mi vida cambió el primer día que salí en la tele. No sólo cambió para los demás sino también para mí. Yo también empecé a creerme que existía cuando me vi en el telediario. Podían amenazarme de muerte pero había dejado de ser un fantasma. En las vidas de los que me habían atormentado era mucho más presente y más real ahora que me veían por la tele de lo que había sido nunca en los largos años en los que me veían cada día en un cuerpo que podían pisotear o morder. Un cuerpo que podían ignorar o humillar. Mi cuerpo televisivo no podía ser golpeado, no podía ser humillado. Era finalmente un cuerpo real en un mundo real. El mundo de las trescientas sesenta y cinco líneas. Cuando era pequeña mi abuela me había asegurado que la televisión hipnotizaba a las personas, decía que la carta de ajuste era un ojo que entraba en las casas para saber lo que hacíamos. Ahora que ya no existe la carta de ajuste, sé que mi abuela tenía razón. La televisión son puntos que vibran y nos sumen en un trance hipnótico, suspenden nuestra capacidad de juicio y nos abducen hacia otros mundos de una manera que, si no fuera moderna, sería calificada de brujería.

Y ahora los dos habíamos acabado en un pueblo de verdad, donde todo el mundo sabe la vida de sus vecinos y las cotillas son de carne y hueso con ojo de cristal incluido, como Consuelo. Desde aquí la gran cotilla catódica del salón-comedor parece a la vez ingenua y monstruosa. Más que una cotilla de pueblo es una niña mala que destruye vidas para matar el aburrimiento.

Las cotillas de pueblo pueden ser aún más peligrosas. Pero ¿eran capaces de clavar un anónimo en una puerta? La lluvia seguía cayendo sobre el limpiaparabrisas y el coche se había hecho un poco más pequeño.

Estábamos más cerca.

Él recorre mi piel con la cucharilla del café. Me ha vendado los ojos. Acabo de contarle mi vida. Es su turno. Me ha vendado los ojos para que imagine mejor lo que va a contarme y me ha atado para que le demuestre que creo ciegamente en él, que sé que no es un asesino, que estoy segura de que no va a hacerme daño. Pero yo no lo sé, por eso tiemblo cuando recorre mi cuerpo con un cuchillo y me dice que es la cucharilla del café.

Se detiene en el antojo que hay en mi tobillo izquierdo. Es una mancha sonrosada con la forma de un racimo de uvas. ¿No era así como el Tribunal describía la marca diabólica de Selene? El racimo del Diablo, la marca de Lucifer, el Ángel Caído, grabada con el aliento del Demonio que sopló suavemente sobre su piel; los verdugos decían que la marca de Selene era insensible al frío y al dolor pero mi racimo de uvas tiembla bajo sus besos. Pone su boca sobre él y su aliento se clava en mi piel como las pequeñas agujas del deseo.

El farero

Vivo en un faro que ya no alumbra, porque me interesan las cosas que han dejado de funcionar. Cosas que han sido útiles y un día se vuelven inútiles. Como las personas. Somos útiles mientras pagamos impuestos y subimos la bombona de butano. Si nos resbalamos por las escaleras, somos inútiles. Este pueblo existe porque existe el faro. Ahora el pueblo sigue existiendo y el faro está apagado. Como yo, que sigo existiendo aunque me hayan apagado.

Lo que te voy a contar sucedió el último año que fui joven. El año en que me divorcié, el año en que violaron a una de mis alumnas, el año en el que perdí mi trabajo y mi vida cambió para siempre de un modo que nunca hubiera imaginado. Había sido el profesor más joven de mi promoción y luego fui el más joven en acabar una tesis doctoral. Había olvidado mi sueño de pisar la Luna. Trabajaba en el mejor colegio y yo era el mejor. Me gustaba moldear los pequeños cuerpos de los niños, saber que hacía crecer sus piernecitas y sus bracitos, que mis ejercicios eran los mejores. Me sentía útil. Corría diez kilómetros todos los días. Leía cien páginas todas las noches. Mi vida era un reloj bien engrasado. Un faro que alumbraba. Y entonces llegó el primer anónimo. Lo recibió el director del colegio. Me acusaba de algo muy grave. Fue para ayudarme por lo que llamó a la policía. Creía que la policía comprendería de inmediato que yo tenía un enemigo y castigaría al que intentaba hacerme daño. Al menos eso fue lo que me contó, porque la policía no pensó eso, la policía creyó el anónimo, en él se me acusaba de abusar de una de las niñas. Era una pequeña esmirriada y poco agraciada. Lloró cuando la llamaron al despacho del director. Yo también lloré, pero de rabia. Llamaron a sus padres. Ellos autorizaron el examen forense. La niña no había cumplido los diez años. El forense confirmó que había sido violada. Mi abogado pidió una prueba de ADN pero el juez no la consideró necesaria. Para entonces yo llevaba casi un año en la cárcel esperando el juicio. Fui condenado. Pasé dos años en la cárcel. Me pidieron que entrenara a los presos. Me negué. Y dejé de entrenar yo mismo. Ya no corría. Ni siquiera caminaba. Lo único que me salvó de morir en la cárcel fue leer.

Al principio del tercer año detuvieron al padre de la niña por abusos deshonestos. Para entonces, la pequeña estaba embarazada. La sometieron a un aborto clandestino y la llevaron a morir al hospital. Allí la niña confesó a los médicos que su padre la violaba desde hacía años y que era él el que la había obligado a acusarme. El caso salió en todos los periódicos, pero yo había perdido mi empleo y nadie quería darme trabajo. Un profesor acusado de cometer abusos, aunque sea una acusación falsa, está bajo sospecha. Todos piensan: algo habrá hecho, cuando el río suena, agua lleva. Pero lo peor es que, tres años antes, las televisiones habían hecho un auto de fe pidiendo cadena perpetua para mí. Castración química. Pena de muerte. No digo que no tuvieran razón pero estaban condenando a un inocente y de esa condena, al contrario que de la prisión, nadie podría liberarme. Los medios echan sobre ti el oprobio y luego no tienen tiempo para perder rehabilitándote. No gastan ni un minuto ni un euro en deshacer el mal que han hecho. Son dioses e, igual que Dios, una vez que han echado al hombre del Paraíso quizá no saben cómo hacerle regresar.

Ainur

En la noche, envuelta en el humo que hace que mis ojos lagrimeen todavía más.

Fumo porque fumar hace que lloren mis ojos. En la noche junto a él.

Estoy con él igual que fumo porque hay cosas que nos gustan porque sabemos que nos hacen daño.

En la noche comprendo mi vida. No puedo creer que todo vaya bien, de repente todo va bien. Le quiero. Me quiere. Pienso que no es posible, espero de un momento a otro el mazazo, el golpe definitivo, el hacha que cae sobre mí, porque me doy cuenta de que siempre he pensado que la felicidad no es para mí, que las parejas perfectas no son para mí, que son cosas que les suceden siempre a otros y ni siquiera a tantos. Igual que algunas personas creen que los accidentes siempre los tienen los demás, yo me he acostumbrado a que los demás sean los que pueden ser felices. Tengo miedo, pánico a esta sensación de que las cosas, por fin, comienzan a marchar bien. Me parecen las trompetas del Apocalipsis, la evidencia de que algo terrible está a punto de suceder y trato de apartarlo de mi cabeza. Sé que la batalla final está dentro de mí. ¿Por qué no he de ser feliz yo? ¿Por el hecho de que miles de seres humanos no lo sean? ¿Porque la felicidad no existe? Creo que la felicidad sí existe. Somos nosotros los que apenas existimos. Por eso no nos ve. ¿No he llegado hace tiempo a la conclusión de que el cielo y el infierno (sobre todo el infierno) existen en esta vida, sólo en esta vida? El cielo y el infierno están aquí y ahora y nosotros los construimos o los destruimos con cada respiración, con cada beso, con cada patada, con cada orgasmo, con cada miedo. El miedo guarda la puerta del infierno y protege la puerta del cielo. Miedo a ser feliz, miedo a ser libre, miedo a ser yo. ¿Por qué me parece imposible esta sucesión de tardes felices, este calor que me invade cuando siento su cuerpo pegado a mi cuerpo?

La suavidad.

De pronto los dos nos volvemos suaves. Nos volvemos agua. Agua que se puede mezclar, agua que acaricia. Primero éramos fuego, ahora somos agua. Somos oxitocina que se derrama: hormona del amor, que es también la hormona terrible del parto, de la unión y la separación. El amor y el dolor que son lo mismo.

Sólo es cuestión de dosis.

Podemos pasarnos la noche entera hablando mientras nos acariciamos. Ésos son los momentos que prefiero, hacia el amanecer estoy exhausta, tan cansada que no siento mis contornos. El agotamiento es una borrachera. Nos eleva sobre lo frágil de nuestro tacto. A esa hora veo cómo las palabras flotan sobre mí como los anillos del cigarrillo que él se fuma, sigo contando como Sherezade cada noche un poco más de la historia de Selene, de lo desesperada que estaba cuando quemaron en la hoguera a su tía Milagros y de lo que sucedió cuando apareció el perro negro. Le cuento todo eso porque lo demás, lo que hizo durante la peste, la manera en que luchó toda su vida por aprender a curar, el coraje que encontró cuando nadie se lo esperaba no pueden entenderse sin el hecho de que Selene había sido traicionada dos veces: al nacer por sus padres y más tarde por el mundo entero, cuando acabaron con la persona que más quería, por eso no temía a la muerte y también por eso quiso salvar el mundo. Pero en aquel momento sólo quería huir.

El farero

Mi padre era alto y rubio. Era cojo como yo, pero eso no le impedía ser un gigante. Decía que descendía de los vikingos que solían asolar las costas asturianas. Me contaba historias de sus antepasados escandinavos. Me hablaba de Odín y su esposa Freya, Thor, Loki y los demás dioses del Panteón del Norte. Odín había permanecido nueve días colgado boca abajo del árbol Yggdrasil, en la soledad más grande del mundo, desnudo e indefenso, sin ni siquiera su propia sombra para cubrirlo. Aquello no podía traer nada bueno. Al noveno día un cuervo le arrancó un ojo, pero su sacrificio no fue en vano. Ya no pudo «ver» con normalidad pero adquirió otra clase de visión. A cambio de su sacrificio Odín conquistó los augurios: las primeras letras de un alfabeto sagrado. Le permitieron ver lo interior: el pasado y el futuro. Los augurios trajeron al mundo la lengua, la poesía, las historias de amor y el valor de los hombres. Odín también trajo al mundo la profecía pues cada letra tenía un significado mágico. Para conseguir el poder de la sabiduría y el don de la visión interior Odín sacrificó la forma en que siempre había visto el mundo.

Ese mundo de Odín sólo está de acuerdo en una cosa con el cristianismo, el judaísmo y el islam, las tres religiones semíticas y patriarcales: la mujer no es nada. La misoginia de las religiones patriarcales hace tiempo que expulsó a la mujer del Paraíso. No fue la serpiente. Fueron los hombres.

Selene

Los primeros días de la peste la gente decía que era sarampión. Selene no podía saberlo porque no la dejaban visitar a los enfermos. No obstante, sabía que el sarampión es el heraldo de la peste y sabía también que el municipio no habría cerrado las entradas de la ciudad sin certeza de pestilencia. El doctor Villarroel afirmaba que era sarampión y no peste y visitó a los pestilentes durante cuatro días. Al cuarto los pacientes presentaron unas bubas en las axilas y comenzaron a sangrar por la nariz. Ese mismo día el doctor Villarroel huyó de la ciudad, con su caballo, su mujer, su título de Medicina y el ánimo de sus conciudadanos.

El concejo que había prohibido intervenir a Selene acudió a verla en pleno con sus jubones de gala adornados con su terror y sus medallas.

—Contra la peste no hay remedio, ni siquiera los míos —dijo Selene—. Pero no abandonaré a los cristianos a su suerte.

Pidió que dictaran ordenanzas prohibiendo entrar y salir de la villa, obligando a que la gente no saliera de sus casas, que se suspendieran las cofradías, las bodas, los bautizos e incluso los funerales porque la peste se transmitía por el contacto directo de una persona infectada. Mandó encender hogueras en cada esquina para quemar cantueso y romero y caminar protegiéndose con un trapo empapado en vinagre. Y luego se santiguó y les dijo que además de hacer todo esto era menester rezar, de modo que se granjeó la simpatía de los pocos clérigos que ni habían huido ni habían muerto.

Persuadió a los magistrados de que el hambre favorecía el contagio, por lo cual un pregonero anunció que se darían media libra de pan y media de carnero por persona y día a los pobres. Y para las medidas más impopulares ella misma acudía a las casas infectadas cuyas puertas habían sido condenadas para atajar el contagio. Separaba con delicadeza las tejas y les entregaba los víveres con sus propias manos. Insistió en que debían enterrarse todos los cadáveres, tarea difícil porque no había madera para tantos ataúdes ni nadie que se atreviera a tocar a los muertos por miedo a la plaga.

Nadie quería hacer ese trabajo y al final ofrecieron libertad y tres ducados a dos delincuentes desnarigados. Pero uno de ellos enfermó al segundo día y entonces nadie quiso seguir con esa tarea. El cabildo triplicó la paga y milagrosamente dos asesinos aceptaron, más por miedo a morir en la cárcel que por pensar en los ducados porque todo el mundo sabe que los muertos no los necesitan. Selene pidió que se les diesen los mejores alojamientos y ropajes, que sobraban en aquellos días pues tantas casas nobles habían quedado desiertas, y aseguró que del buen cumplimiento de su tarea dependía que se acabase por fin la epidemia.

Selene se pasaba todo el día en el hospital habilitado en las naves de la iglesia, sin duda el lugar más fresco del pueblo y, desde que ella llegó, el más limpio. Ella misma fregaba el suelo dos veces por día, y cuando un enfermo moría restregaba el lugar con sosa cáustica. Casilda la ayudaba sin perder la sonrisa:

—Ya sabes que pondrás en mi epitafio que Casilda siempre te sonreía.

En aquellos momentos cuando Selene oía hablar de epitafios se estremecía.

La pestilencia comenzaba con una fiebre leve con dolor de cabeza como la de un resfriado común, enseguida la fiebre se alzaba hasta llegar al delirio, sólo entonces aparecía una lesión en la ingle, en una axila o detrás de una oreja que llamaban buba. Selene no sangraba a los apestados ni cortaba ni quemaba sus bubas aunque había oído que se podía hacer. Simplemente refrescaba su frente con paños fríos, con agua de rosas hasta que se acabó y trataba de aliviarlos en lo que podía. Con el tiempo se acostumbró a los lamentos, a los escalofríos y a los ojos salidos de sus órbitas. Daba gracias a Dios porque nunca pudo acostumbrarse del todo. A los pocos días su vida anterior le parecía un sueño, pero ésta, entre humores verduzcos y hediondos, no dejó nunca de ser para ella una pesadilla. La mayoría de los enfermos morían a los dos días de haber aparecido la buba tanto si se les sangraba como si no. En algunos casos afortunados la buba comenzaba a supurar un humor maligno, como si los diablos abandonaran al paciente. Ésos eran los pocos que se recuperaban y sobrevivían. Selene intentó ayudar a que la buba supurara con cataplasmas de mostaza, de higos y de cebollas hervidas. A veces funcionaba pero nunca sabía si la medicina había surtido efecto o si hubieran sanado de todos modos. En todos sus años de sanadora jamás había visto fiebres tan altas. Vio a niños que saltaban en su lecho y a gentiles doncellas que juraban como mujerzuelas. Ya no había bien ni mal, sólo un hedor insoportable que acababa con las ganas de vivir. En las calles el concejo trataba de impedir los robos y los pocos sacerdotes que no habían huido predicaban contra la lujuria. La vida se había convertido en un hilo tan sutil y afilado que había cortado de cuajo las ataduras de la decencia. Fornicaban en las calles y en las iglesias, delante de los cadáveres insepultos y de los niños de pecho. Gozaban viejos con muchachas, doncellas con señores, señoras con lacayos, judíos con cristianos y novicias con frailes porque nadie sabía si aquel día no sería el último y habían dejado de temer el infierno porque sin duda estaban en él.

Las ratas agonizaban en las calles. Los transeúntes las apartaban a patadas. Habían muerto los mulos y los caballos porque el Mal no diferenciaba hombres y bestias. Al contrario, a los que se habían creído hombres, los convertía en bestias. La buba era un espejo y al ponerlo delante de un hombre su alma se reflejaba con claridad. Los más no la tenían. Muchos padres abandonaban a sus hijos apestados. Al ver las bubas los amantes abominaban del cuerpo que tanto habían deseado. Las calles estaban atestadas de moribundos a los que nadie quería atender. No había curas que diesen la extremaunción porque los que quedaban permanecían encerrados quemando en sus escondrijos el incienso del culto que decían que detenía el contagio. Y, sin embargo, Selene y Casilda seguían luchando en medio del terror, para aliviar el sufrimiento, sin tener más que algunas palabras y un poco de agua de rosas.

A veces les llegaba un gran griterío pero en las naves de la iglesia-hospital Selene no tenía tiempo para prestar atención a la algarabía de las calles. Contaban el número de muertos que ahora había comenzado a disminuir cada día.

—Hoy han muerto la mitad que ayer —anunció Casilda una mañana, pero Selene no la escuchaba.

Desde la noche anterior se sentía pesada, las rodillas no le respondían. Respiraba con dificultad y le ardía el estómago como si hubiera tomado muchas especias aunque lo cierto es que llevaba días sin comer, bebiendo sólo agua. Estaba poniendo paños frescos sobre la cara de una muchacha de dieciséis años, una cara que había sido hermosa pero que ahora era una mueca inflamada. Los ojos brillantes y en blanco. Selene la miró y supo que ésa era la cara que ella tenía en ese momento.

Sus ojos encontraron los de Casilda y leyó la terrible sentencia en la forma en la que bajó la mirada. Al final Casilda la obligó a tenderse en un jergón como ella había hecho con tantos otros. Pensó que debía decirle algo para que la recordara tras su muerte, pero sólo se le ocurrió decir:

—Pon en mi tumba que tu amiga Selene sonreía siempre.

Quiso tomar nota de los síntomas de la enfermedad pero, al subirle la fiebre, la cabeza le estalló de dolor, era un dolor blanco, como un resplandor que anuló el mundo exterior. Las mantas la oprimían como garras y se hubiera arrojado del jergón si Casilda no la hubiera sujetado. En medio de la inconsciencia la tranquilizaba pensar que había ocurrido lo peor, que cada noche había temido enfermar y cada mañana se había despertado buscando en sí misma los síntomas. La realidad era siempre un poco menos terrible que sus temores y además aquel resplandor blanco de luz y dolor se llevaba consigo la responsabilidad y el sufrimiento de los que morían cada día que la habían consumido durante aquellas semanas. Quería que todo acabase de una vez. Pensaba que si tenía que soportar una muerte más, que fuese la suya, porque había llegado al límite, a un lugar entre el cielo y la tierra en el que hasta los más valientes descabalgaban y se rendían.

Ainur

Al farero le gusta verme con traje de chaqueta, ese uniforme de ciudad que juré no volver a ponerme cuando conseguí huir del alcalde y de sus consejos de administración. Él me lo quita voluptuosamente. Le gusta por lo mismo que a mí me disgusta. Durante los largos años en que trabajé doce horas en una oficina, me disfracé con el traje cada mañana. Igual que un superhéroe, pensaba que con el traje venían los superpoderes.

Cómo aún no se había inventado la ropa del poder, vestirse para triunfar significaba llevar la versión femenina del traje masculino, pues esto es lo que se esperaba de nosotras: que fuésemos versiones femeninas del hombre. Demostrar mi valía no había servido de nada. Lo que no conseguí trabajando doce horas, lo conseguiría pareciendo asexuada, cubriendo todo lo que en mi cuerpo recordaba mi sexo. Les haría olvidar que era una mujer, si me vestía como un hombre, si tapaba mis tetas y apretaba mi culo. Sería una mujer disfrazada de hombre para ir a la guerra de todos los días, la guerra del atasco y de las ocho horas, la guerra de la oficina en la que todos salíamos perdiendo. Como la monja alférez, yo les convencería de que pensaba como un hombre y quizá después de eso me dejaran en paz.

El farero

Después del juicio, después del acoso de los periodistas, después de que el teléfono sonara sin parar y luego dejara de sonar, una noche aparqué mi coche, como todos los días, al lado de mi casa, de lo que yo creía que era mi casa y mi vida.

Me fui a cenar con una chica cuyo nombre no recuerdo. La verdad es que hay muchas cosas que no recuerdo de esa noche, porque cuando salí del local descubrí que no sabía dónde había aparcado mi coche. Es una situación común, le ha pasado a mucha gente, pero aquella noche yo no podía recordar en absoluto el hecho de haber aparcado. Vagué durante horas por la ciudad llena de gente que revolvía en las basuras. Me senté con ellos en las aceras. Seguí caminando y llegué hasta barrios que no tenían aceras. Seguí caminando y descubrí que la ciudad era un monstruo inacabable, sin contornos. Un monstruo con ojos de semáforo y boca de alcantarilla, cuya repulsiva piel de asfalto se erizaba al vomitarme. La luna parecía la sonrisa de un viejo loco y, sin embargo, me alegré de que se viera la luna reflejada en los charcos. Toda mi vida se reflejaba en aquellos charcos. De repente, no sólo no sabía dónde había aparcado mi coche. Ya no podía o no quería recordar dónde vivía. Dormí junto a un mendigo entre cartones, en la plaza de Santa Ana. Olía a vino barato y a orines, pero me pareció un asidero en la ciudad sin rostro. Ya nunca volví a mi casa. Hace sólo dos días encontré por fin las llaves en mi viejo pantalón. A veces pienso que el coche se lo llevó la grúa, a veces pienso que me volví loco. Mi vida se la llevó la grúa. El caso es que, en cuanto amaneció, me fui a la Estación Sur de autobuses y me vine aquí. Ya no quedaba nada de la casa de mis abuelos. Se la había comido la lluvia. Pero estaba el viejo faro. Deshabitado. A eso había venido yo, a encontrar un faro. Y aquí estoy.

Ainur

El segundo anónimo fue muy diferente del primero. Estaba escrito a máquina y lo encontré dentro de un sobre pulcro con mi nombre garabateado. El sobre estaba encima de mi mesa de desayuno. Inocente como un panecillo o una paloma, cruel como una serpiente que se escapa del calor de una hogaza de pan. Estaba escrito en tinta roja, con una máquina antigua que hacía tanto hincapié en los puntos de las íes que parecían gotas de sangre en el papel.

> Te hemos encontrado, hija de perra.
> Morirás, puta.
> Te arrepentirás de lo que hiciste y morirás por nuestra mano.
> Sabemos dónde vives y tú no sabes ni cómo ni cuándo.

No le dije nada al farero del anónimo ni de mis «misteriosos» perseguidores. Tampoco parecía interesarle. Parecía otro desde que comenzó la lluvia y llevaba ya quince días lloviendo sin parar. Los últimos días se mostraba absorto, como si estuviera en otro mundo. Muchas veces no me respondía cuando le preguntaba o me respondía con monosílabos. Estaba raro de una manera que me hacía recordar que, aunque tuviese a menudo la sensación de que lo conocía desde siempre, aunque para mí fuera el niño que había sido, en realidad no lo conocía, habían pasado muchos años y ni él ni yo éramos niños.

—¿Habías visto llover tanto alguna vez?

—Claro que sí, y tú también. Llovió mucho más aquella vez cuando éramos pequeños y no hubo colegio porque un padre había matado a su hijo.

Pensaba que había olvidado aquella historia pero, al oírla, la boca se me quedó sin saliva. Magic, el farero, tampoco la había olvidado. Era una de esas historias que habían puesto a nuestro pueblo en los mapas sólo por unos días. Habíamos existido para el mundo de la manera que existen los lugares muy pequeños o muy remotos, sólo cuando un crimen, una catástrofe, un terremoto los saca de la niebla. Son visibles durante un momento muy breve. Luego la niebla y la distancia se los traga, hasta que se despierte de nuevo el monstruo de los medios.

Conocíamos al niño. No era amigo nuestro. Gracias a Dios, no era amigo nuestro. Era un buen niño. Se sentaba siempre atrás. Llevaba el flequillo sobre los ojos. Era el típico niño que nunca ha roto un plato. Pero rompió el televisor de su padre. Su padre no bebía, no fumaba, era un hombre metódico y se diría que comedido. Metódicamente y con comedimiento, le pegó con una correa en todas las partes de su cuerpo y luego con los puños cerrados, hasta que se dio cuenta de que estaba cansado, muy cansado. El niño ya no lloraba, había llorado mucho cuando empezó a pegarle, diciendo cosas como que no lo haría más, pero ahora estaba pálido y no lloraba. Lo mandó a la cama sin cenar. Él tampoco probó bocado. A medianoche, el niño llamó asustado a su madre: temía que le dieran otra paliza.

—Mamá, dile a papá que no me pegue más. Creo que me he meado en la cama.

La sangre había empapado las sábanas, se escurría desde el cuerpo del niño, desde lo que se había roto dentro del niño hasta algún agujero que debía de haber debajo de la cama de los padres y que llevaba a las cloacas oscuras donde uno quiere deshacer lo hecho y no puede.

Lo llevaron al hospital. Demasiado tarde. Antes perdieron el tiempo echándose la culpa el uno al otro, pensando en la vergüenza. Cuando llegaron no había nada que hacer. El niño murió por la mañana, todavía temiendo que le volverían a pegar por haberles dado tanto trabajo.

El día que lo enterraron, no hubo colegio. El día que lo enterraron todos los niños del pueblo juramos que no romperíamos nunca un televisor. Yo lo tenía más fácil, porque en mi casa no había ninguno.

Desde entonces, me alegré de no tener padre. Pensaba que mi madre no tenía la fuerza necesaria para matarme a golpes, aunque probablemente mi abuela sí. Quizá era por eso por lo que nunca me pegaban. El día que lo hicieran, me matarían. Me parecía que todo aquello había pasado para amedrentar a los niños, porque lo que verdaderamente me había dado miedo era que los adultos, cuando hablaban, nunca compadecían al pobre niño muerto que ya no se sentaría en la parte de atrás de la escuela a no matar ni una mosca y dar la impresión de no haber roto un plato.

—Pobres padres —decían los adultos.

Y yo pensaba: «Pobre niño, pobres niños». Si matabas a un compañero de trabajo eras un asesino. Si matabas a tu hijo, todos te compadecían.

—En mi casa era aún peor —dijo Magic—. En mi casa, mis padres no paraban de decir: «Era un buen hombre, tenía demasiado trabajo, hubiera podido pasarle a cualquiera». Lo decían de un modo tal que yo estaba seguro de ser el siguiente. Mi padre era ligero con la correa; mi madre usaba los nudillos en la cabeza y la zapatilla, pero mi padre pegaba unas palizas de muerte. Sin embargo, después de aquello, no me pegó en una temporada. Luego nos fuimos de aquí, se le olvidó y volvió a pegarme como antes. Como siempre. Me pegó hasta el día en que levantó la mano y me vio de pie frente a él, más alto que él, con la mano también levantada.

Ainur rompe el papel tres veces y luego tres más y lo arroja por la ventana. Después vuelve a sentarse con furia ante el escritorio, para huir por fin del alcalde, de sus anónimos, de sus matones. Para huir muy lejos, a cinco mil caracteres de distancia, a cuatrocientos años, a varios metros, en la seguridad de la pantalla de su ordenador y de los folios rugosos que poco a poco crecen formando un montón blanco sobre su escritorio, como una colada terminada que nos reconforta con su olor a limpio. De vez en cuando coge uno de esos folios y aspira su olor. Luego mira por la ventana y ve los trocitos de papel que han volado hasta el atrio de la capilla de Santa Magdalena y que quizá se han colado en la cripta de los huesos. Se cuelga del repecho para ver las montañas oscuras y sentir el olor a leña. Al oler el fuego la recorre un escalofrío, pero entonces coge de nuevo el folio y aspira una bocanada del aroma a tinta fresca y se siente de nuevo segura y regresa junto a Selene.

Selene

Oyó sollozar a Casilda y sintió que la llevaban en volandas. Luego el resplandor blanco le machacó el cráneo contra un muro de dolor. Dejó de pensar. Soñó sin saber que soñaba. Estaba montada en el resplandor blanco que era uno de los cuatro jinetes del Apocalipsis. El dolor borraba su vida entera y era como una sombra que la acompañaba.

Soñó sin saber que soñaba. La sombra blanca la llevaba muy lejos a la noche lluviosa de su nacimiento, cuando su madre se había negado a volver a verla. El dolor blanco seguía con ella mientras aprendía a recolectar hierbas en los bosques con su tía Milagros. Tenía que darle un nombre a la sombra blanca, pero no lo encontraba. Estaba junto a ella el amanecer que salió a comprar lino para la hoguera de su tía y estaba allí, en el dolor de los caminos, cuando se quedó sola en el mundo y encontró a los lobos. Y la sombra blanca la acompañaba, mientras aprendía medicina con el médico de Toledo. Y no la abandonaba cuando el médico fue detenido y ella comenzó a curar a los que lo necesitaban y se creyó a salvo porque no le dio tiempo a ver la hoguera que estaban levantando para ella en la plaza. Ya sentía las llamas morderle las piernas y el dolor blanco estaba allí, inmóvil y cruel, a su lado. Y ella ya no podía soportarlo.

Esa vez había gritado, porque sintió el frescor de las manos de Casilda que le mojaba los labios con un paño. Pensó que debía de estar demasiado débil para beber o que había estado vomitando, pero enseguida vio a una mujer que la miraba inclinada sobre un espejo blanco lleno de símbolos y supo que la mujer era su gemela y que escribía sobre ella, sobre la peste y el temor de los hombres. La desconocida se le parecía, aunque era más joven y más flaca. Hacía extraños movimientos con los dedos, como si quisiera convocar a los espíritus. Y entonces la mujer levantó la vista y Selene supo que conocía el día de su muerte.

Abrió los ojos y vio la cara fea y querida de Casilda inclinada sobre ella.

Quiso decir que la trataran igual que a los demás enfermos. Que la dejaran morir sola en su jergón, porque ya nadie podía ayudarla. Movía la boca y las palabras no llegaban a salir de sus labios. En el fondo, era un alivio saber que no moriría sola o, al menos, no más sola que el resto de los hombres que nacen y mueren solos. Cerró los ojos y sintió que el dolor y la sombra blanca la envolvían y supo que aquello no era un sueño, que se estaba muriendo de verdad. La vida se le escapaba entre los muslos, por un lugar de sus ingles donde, sin necesidad de tocarla, supo que tenía una horrorosa buba lívida. Vio al cazador de brujas que intentaba manosearla en la fuente y al bachiller que le pasaba el agua bendita susurrando en su oído palabras de amor y sintió su beso tierno y doloroso como el beso de la muerte. En ese momento la golpeó un alivio tan violento como un orgasmo de dolor, porque el dolor subió y luego se disolvió en algo cálido como el aceite. Soñó que la buba se había abierto y que todos sus temores se escapaban por ella: el temor al Santo Oficio y el temor a no ser amada, su miedo a la muerte y su miedo a morir sola. Entonces oyó la voz de Casilda:

—¡Alabado sea Dios!

Y dejó de oír.

Despertó tres días más tarde. Sentía un gran martillo dando golpes en su cabeza. Vivía. Aunque la vida se había convertido en una serie de dolores, se sentía viva en su debilidad de una manera nueva, como si su vida antes de la peste hubiera sido un sueño y ahora, por fin, se despertase.

Aínur

Seguía lloviendo y era un día distinto, que parecía igual, la mañana en que el farero me llevó a ver los esqueletos de la cripta de Santa Magdalena. En nuestra infancia, la existencia o no de aquellos huesos había sido objeto de fascinación y de terrores infantiles. Yo nunca los había visto y estaba convencida de que eran sólo una argucia de los adultos para asustar a los niños que volvían tarde por la noche o que no se acababan la sopa.

—No —dijo Magic—, son de verdad. Yo los he visto. Son un *memento mori,* un monumento a la muerte. Sirven para recordar a los vivos que tenemos que morir. Fueron puestos ahí para darnos miedo.

—Y para que hiciéramos lo que dicen los curas.

—Para que recordáramos que tenemos que morir.

—Creo que eso lo recordamos sin que nadie nos diga nada.

—No creas, a mí se me olvida cuando estoy contigo.

—A mí nunca se me olvida.

—Qué dramática es mi chica —dijo, y me besó.

No sé cómo había conseguido Magic la llave enorme de hierro de la vieja capilla. Era una pequeña capilla románica, con un altar central y una hornacina lateral, donde, oculto en la oscuridad, estaba el enorme cuadro que representaba a Santa Magdalena y que había dado nombre a la iglesia y a la parroquia. Había leído mucho sobre él, porque algunas fuentes decían que era un retrato de Selene, la comadrona tenida por santa y por bruja. Algunos eruditos iban más allá y afirmaban que era un retrato que le habían pintado después de muerta. Tiré de la mano de Magic porque el retrato era lo que más me interesaba de la iglesia. Había preguntado por la llave pero me habían asegurado que sólo la tenía el Señor Oscuro. Hasta el momento había hecho acopio de fuerzas para ir a pedírsela pero nunca me había atrevido a acercarme a la casa de los postigos cerrados. Y ahora resulta que Magic la había tenido todo el tiempo.

Pensé que a veces no encuentras lo que buscas porque lo tienes demasiado cerca.

Magic me puso la mano en los labios, olía a tabaco y a hombre y a algo amargo que no supe qué era. Dejé que aquella mano fuerte con venas marcadas me alejara del cuadro de la Magdalena, para conducirme al sepulcro que estaba al otro lado de la ermita. Tiró de un anillo en el suelo y dejó al descubierto la entrada de la cripta. Soy un poco claustrofóbica, me daba miedo arrastrarme por el pasadizo debajo de la iglesia, en la oscuridad. Magic tenía una linterna. Demasiado pequeña. A su luz insegura vimos que el corredor se hacía un poco más amplio. El aire olía a humedad. Antes de ver los esqueletos, los sentimos. Miles de escarabajos negros nos amenazaban en la oscuridad. Tardé un momento en darme cuenta de que eran las cuencas vacías de los muertos. Agujeros negros que absorbían la luz y las preguntas con miradas sin ojos que se clavaban como cuchillos en los nuestros. Las paredes de la cripta estaban hechas de cientos, quizá miles, de calaveras de todos los tamaños y, delante de nosotros, en una especie de altar, vestidos como príncipes, estaban los esqueletos de tres niños. Me acordé del niño que habían matado por romper un televisor.

—¿Y éstos, qué han roto? —dije, apretando la mano de Magic. Con él no sentía miedo. Sólo me parecía un espectáculo de mal gusto.

—Son los hijos de un conde. Fue un gran honor para ellos que los enterraran aquí.

Uno de los esqueletos, el más pequeño y desvalido, abría los brazos formando una cruz. Con una mano sostenía un misal, con la otra una loseta grabada: «Como tú eres, nosotros hemos sido; como somos, tú serás».

Era macabro.

Como el decorado de una película *snuff*, pensé.

—Es una película *snuff* del pasado —dijo Magic, y me dio un beso, quizá porque pensó que iba a gritar.

Recordé las clases de historia, la frase que un esclavo repetía al general romano al que se concedía un triunfo. Todo el mundo lo aclamaba y le arrojaba flores. Todos los hombres querían ser él y todas las mujeres acostarse con él. Por eso en la cuadriga del ganador iba un esclavo que le repetía: «Recuerda que eres mortal». Bueno, en realidad le decía: «Recuerda que no eres un dios», que es lo mismo.

Se lo dije al farero.

—Por eso te he traído aquí, para recordar que no soy un dios, que soy mortal, que no soy ni el primero ni el último hombre que se ha enamorado.

—Vámonos de aquí, casi no hay aire.

Lo que más me había impresionado de la cripta no eran los huesos, no el hecho de que estuvieran muertos, sino el de que todos los huesos se parecieran tanto. La vida era siempre única, individual, irrepetible, quizá equivocada. La muerte tenía razón y era igual a sí misma, como un gesto repetido en un espejo sin fin. Los vivos somos o parecemos distintos. Los muertos parecen o son iguales. Las calaveras se asemejaban a piezas de un ajedrez o a botones de muestra: eran iguales, igualmente muertas para siempre, no tenían ya nada de las risas, de la mala leche, de la perversidad o la picardía que las había convertido en rostros. Tenían todas el no rostro uniforme de la muerte.

—Vas a ver una cosa que nadie ha visto.

—¿Qué?

—Algo que no puedes contarle a nadie.

Apenas habíamos dejado atrás el aire viciado de la cripta, Magic me condujo hasta el retrato al óleo de la Magdalena. Yo la había olvidado completamente. Era una tabla de factura flamenca de grandes proporciones. Me pareció demasiado ostentosa para una iglesia tan austera. Magic la alumbró con la linterna.

—¿Te das cuenta? —me dijo, y no tuve más remedio que darme cuenta.

La pintura representaba a una mujer pelirroja, muy delgada y un poco ajada, pero hermosa. Estaba arrodillada con una calavera entre las manos. Al fondo se veía un paisaje con pinos y una tempestad que avanzaba con grandes relámpagos. El paisaje no era, no podía ser, el de nuestro pueblo; parecía un paisaje de la Toscana, como los que yo había visto en los museos. Hubiera sido apacible si los relámpagos no hubieran resultado tan amenazadores. El cuadro era de buena factura, aunque la pintura estaba como si hubiera sobrevivido a un incendio. Una lengua negra avanzaba hacia la Magdalena. Nunca llegaba a tocarla, pero el resplandor de las llamas parecía reflejarse en el resplandor de sus ojos verdes rodeados de una telaraña de arrugas de seda. Yo me fijaba en todos los detalles para no mirar lo que me había turbado, pues, a pesar de que el rostro de la mujer miraba a tierra, era imposible no ver el parecido.

—¿Qué puede significar?

—No sé —dijo el farero.

—Tú ya lo sabías.

—Sí, y por eso quise que vieras primero la cripta, para que comprendieras que no es tan importante.

—¿Seguro que no es una broma? ¿No has preparado tú ese cuadro?

—Lo pinté hace cuatrocientos años y me senté a esperar a que llegaras.

—Sí, claro.

—No es cosa de risa.

—Bueno, sabes que en este valle se dice que todos somos primos, que la endogamia es tal que todas las familias están emparentadas. Altamira no está lejos de aquí, y en el ADN de los habitantes de los pueblos vecinos a la cueva han encontrado los mismos genes que los de los que pintaron los bisontes y los caballos.

—¿Quieres decir que todos los hombres son hermanos?

—Quiero decir que todo tiene una explicación lógica.

—Una explicación habrá, estoy seguro. Pero no creo que sea lógica.

Sabes que la cueva, la sima de los huesos fue lo primero. Siempre ha estado ahí. Antes que la iglesia. Antes que el pueblo.

—Las cuevas eran sagradas. Eran la vagina de la tierra por donde la Tierra había sido fertilizada. Y eran el útero donde volver a encontrar la seguridad de la Madre Tierra. En las cuevas, en las simas, lo que estaba oculto podía revelarse.

—Como tu parecido con Selene. Según el manuscrito de la partera que me enseñaste, esa tabla es su propio retrato. ¿No te recuerda a alguien?

—¿A quién tendría que recordarme? —mentí.

—Es igual que tú.

—Se parece algo. Pero ya sabes que aquí en el norte todos somos primos, en este valle hay tal endogamia que todas las familias están emparentadas. No hay nada nuevo bajo el sol, ni ninguna familia nueva en esta región. Ése tiene que ser el motivo del parecido.

—Ainur, se te parece como una gota de agua a otra gota. Parece un retrato tuyo vestida de Magdalena. ¿Es casualidad o es el motivo de que te obsesionaras con ella?

—Cuando empecé a interesarme por su historia ni siquiera sabía que ése era su retrato. Es otra cosa la que me llama la atención. Éste es el único pueblo que conozco cuya ermita está consagrada a la Magdalena. Y luego resulta que el modelo de su Magdalena es una mujer a la que quemaron por bruja. ¿En qué quedamos? ¿Era bruja o era santa?

—Lo importante es que no era como las demás, eso es lo que importa. Las santas tampoco lo tienen fácil y, de santa a bruja, no va mucho. Piensa en Juana de Arco.

—Ya, hoy en día Juana de Arco estaría ingresada por esquizofrenia.

—Pero sus visiones eran reales.

—Hay más cosas en el cielo y en la tierra, Horacio, de las que conoce tu filosofía.

—Eso es de *Hamlet.*

—Mi abuela decía que, aunque no veas a los espíritus, no por eso ellos dejan de verte a ti.

Selene

Cuando consiguió ponerse en pie, después de haber sobrevivido a la peste, no se sintió eufórica, sino triste, con una tristeza suave que se parecía a la resignación. Cada día llegaban menos enfermos al improvisado lazareto de la iglesia. Un día, cuando ya no quedaba ni un árbol en pie en la ciudad, hubo un solo muerto y al día siguiente no murió nadie. La epidemia cesó tan rápido como había comenzado, se limpiaron las calles y los supervivientes se saludaron como resucitados. Todos tenían aire de convalecientes. Los pocos que habían estado enfermos y habían sobrevivido como Selene y los que nunca habían contraído la enfermedad. Todos se recuperaban lentamente y se dejaban llevar por aquella tristeza que se parecía a la música.

Aprendían a andar de nuevo, como recién nacidos, y sentían ganas de abrazar a los desconocidos que se cruzaban por las calles casi desiertas. Y por la noche, en sus camas, no podían dormir, embriagados por la alegría feroz de estar vivos y por la culpa insoportable de seguir viviendo.

Ainur

Mi abuela decía que cuando vas a morir ves a tu propia efigie que te saluda. Ella no la vio, pero sí veía las almas de los vecinos que venían a despedirse de ella. Yo estaba con ella muchas veces cuando sucedía.

—Oí la voz de Antón el de Fonteta, con lo bien que lo quise y lo bien que él me quiso. Aún no ha cumplido los sesenta y hace poco compró una vaca nueva. Qué pena que tenga que morir ahora.

Era inútil discutir. Yo conocía a mi abuela y sabía que antes de una semana esa persona, por lo general un vecino o un amigo, estaría muerta.

—Es Rosalía de Santalla. Viene a despedirse de mí. Es muy amable de su parte —decía mi abuela.

Cuando estaba en la Facultad de Historia quise contárselo a uno de mis profesores, uno por el que yo tenía debilidad sin que él la tuviera por mí.

—Yo creo que era telepatía. Esa persona pensaba en mi abuela y mi abuela recibía el mensaje.

Pero mi profesor no quiso escucharme. Para él eran supersticiones de aldeanos. No le interesaban las cosas que hay en el cielo y en la tierra, de las que no habla nuestra filosofía. Ésa fue una de las razones por las que casi dejo la carrera.

—No sirves para nada, Ainur. No acabas nada de lo que empiezas.

Bueno, ahora quería acabar la historia de Selene. Sabía que de alguna manera tenía que ver conmigo. De alguna manera era la historia de todas las mujeres y también mi historia.

Por eso cuando vi el retrato de Selene como María Magdalena, tan parecido a mí que podía ser mi propio retrato, pensé primero que el farero me había gastado una broma. No creí que fuera real. Hasta que encontré los papeles de la sacristía: las fotos del óleo que databan desde antes de mi nacimiento. El blanco y negro se tornó amarillento con el tiempo, pero el parecido no había amarilleado. Podría ser mi hermana o mi madre. Podría ser yo. Entonces me vinieron a la cabeza todas las historias de mi abuela, las leyendas del Medioevo. Encontrabas a tu doble en una callejuela o te lo cruzabas al doblar una esquina. Te sorprendía el aire familiar y tardabas un poco en comprender. Parecía un encuentro sin importancia, hasta que la revelación caía sobre ti como el granizo. No importaba lo fugaz de la visión. Una vez que lo habías visto, tu muerte era segura.

Ahora que me había visto con los ropajes de Selene, me pregunté si habría visto a mi doble, si ella sería mi doble y si anunciaría mi muerte.

Llovió otros quince días. El agua chorreaba desde las tejas grises e inundaba las alcantarillas y los corazones. Se escurría por mis tripas para encogerlas. Si seguía lloviendo, tenía la impresión de que yo misma me convertiría en agua y me acabaría yendo por el desagüe hacia el mar. Ese mar de aquellos días con aguas de barro que rebotaban sobre las tumbas. Las mismas tumbas sedientas que se bebían los arroyos nuevos que el diluvio había lanzado a los caminos. Todo en el mundo era frío y húmedo: las sábanas y las manos, sus labios y mis ojos. Parecía que la lluvia no se acabaría nunca. Cada mañana miraba el cielo y seguía siendo negro y terrible. Todas las noches rogaba para que cesara la lluvia, sin saber que el final de aquel diluvio sería también el de mi historia con el farero.

En una relación de pareja siempre son tres.

Si no llega el amante, llega el hijo. Dos es un número que no está destinado a durar.

Entre el farero y yo también había un tercero.

Selene dormía con nosotros, podíamos oír su respiración, el crepitar del fuego, el hedor fuerte de los orines y el sudor, y cuando de noche nos despertábamos, sabíamos que nos había sobresaltado una de las ratas que corrían en las prisiones de Selene.

Estoy harto de que vayas de víctima, de perseguida. Todo el mundo te persigue, tú eres la eterna víctima. ¿No te has parado a pensar que todo es una paranoia tuya? ¿No crees que quizá tú hayas hecho algo para merecer todo esto? ¿No crees que es demasiada casualidad que todo el mundo la tome contigo? Ainur, la inocente. Ainur, la perseguida. Ainur, la víctima. ¿Y por qué no Ainur la paranoica? Ainur, la manipuladora. Ainur, que lanza la piedra y esconde la mano, vuelve locos a los hombres y dice después: «Lo he hecho por broma». Ainur, que no sabe quién es y hace que los demás dudemos de quiénes somos. Ainur, la única mujer a la que he levantado la mano, la única que me ha sacado de quicio, la que me ha vuelto loco y me ha hecho cometer locuras. Tú me has llevado a esto y ahora me dices que hay hombres en el pueblo que quieren matarte. Pues bien, puede que el único en el pueblo que quiere matarte sea yo, porque ya no sé quién soy, ya no sé lo que quiero. No ha habido felicidad desde que te conocí. Ha habido un placer tan exquisito que era como dolor y un dolor tan orgiástico que encerraba en sí mismo el placer de sufrir. Pero la tranquilidad, el contento y lo que antes pude llamar días felices han desaparecido por completo de mi vida. Ya ni siquiera me atrevo a soñar con ellos.

—¿Estás hablando del amor?

Me senté en el baño. Aquel retrete nunca había funcionado bien. Por las noches hacía ruidos como si hiciera gárgaras. Tiré de la cadena y entonces oí la voz que venía de lo bajo, de abajo, más bajo, del agujero.

De la garganta fantasmal que hacía gárgaras por las noches y que ahora se quejaba como un muerto.

Parecía gemir.

Decía: «Hola, hola, holaaa».

Salí corriendo y volví con el farero. Él también lo oyó, pero me aseguró que eran las cañerías que funcionaban mal. El retrete estropeado y mi imaginación y sí, también la suya, producían aquel saludo fantasmal. Él también lo oía, pero el sonido estaba sólo en nuestras cabezas. No había nada maligno en las alcantarillas de nuestro pueblo, nada arrastrándose desde el mar entre las aguas fecales y queriendo salir para devorarnos. Nada que no fuera el miedo.

Y el amor siempre tiene miedo.

Vuelvo a casa. Sola. Aunque en este pueblo nunca estás sola. Sé que me miran tras los postigos entrecerrados. Yo miro las ventanas que no parpadean pero parecen muertas. Se diría que no hay nadie. Y sin embargo yo siento esa sensación en la nuca. Sé que me miran.

A pesar de todo nadie agita los visillos en la casa de la vieja Consuelo. No se han movido los postigos, cerrados a cal y canto, como cada mañana en la casa del Señor Oscuro. Camino más deprisa.

Estoy a punto de llegar a mi casa. Allí estaré a salvo.

La capilla de la Magdalena es mi vecino más cercano. Es decir, que mi casa, la casa de la vieja Rius, esa casa sobre la que los cuervos vuelan en círculos desde hace semanas, es la más próxima a la sima de los huesos. A esa vagina de la tierra sobre la que han fundado el pueblo. Siento que la iglesia, con su torre, su cruz y su campanario está allí para conjurar el poder de la cueva. Puede ser que los huesos hayan sido colocados como ofrenda o como tapón para no dejar escapar algo que desde abajo vigila al pueblo. Magic me ha contado que la cueva sigue varios kilómetros bajo el pueblo; que no ha sido explorada enteramente; que hay quien dice que alberga pinturas prehistóricas y quien habla de ritos satánicos en sus galerías. Pienso en los corredores como los dedos de una mano que, bajo la tierra, mantiene aferrada la aldea. Lo que no se ve es a menudo lo más importante. No vemos los espermatozoides ni los óvulos de los que venimos. No vemos.

Pienso que hay otro pueblo bajo el nuestro. En uno viven los vivos; en el otro, las ratas, los topos y quizá los muertos. Y la cueva que desemboca en la iglesia es el único punto en el que pueden encontrarse.

Siento que me faltan las fuerzas y me apoyo en el portón pintado de verde de la capilla. La vieja pintura se pega a mi abrigo. Y la puerta cede. Se inclina ante el peso de mi cuerpo y entro, mejor dicho: caigo en la penumbra de lo sagrado.

Los olores de la iglesia, la cera, la madera vieja, el olor a oscuridad y a agua que rezuma te recuerdan el aburrimiento, el miedo de niña al Cristo que sangra. Lo veías como un hombre agonizante y no sabías cómo ayudarlo. Tu abuela te llevaba a misa sólo para tener prendas que hubieran estado en sagrado. Te mandaba a la iglesia con tres pares de chaquetas, la una sobre la otra, hasta que no podías respirar. Ella misma se reía y te decía que no eras una niña sino un repollo. Una chaqueta que hubiera estado en misa era lo mejor contra el mal de ojo. Claro que había que saber usarla. Había que conocer el arte de espaniar.

Dios que te deu,
Dios que te criou,
Quebrenche os oyos al que te embruxou.

Dios que te dio,
Dios que te crió,
Quiebra los ojos al que te embrujó.

Era domingo. Tú habías estado en misa, aburrida y temerosa, como hoy. Habías cruzado el pueblo como hoy y habías sentido que todos te miraban. Y, a diferencia de hoy, no había postigos cerrados. Todas las ventanas y todos los ojos estaban dirigidos a ti. O eso te pareció. Todos estaban allí, te pareció que mirándote y riéndose. Todos los que ahora ya han muerto y que eran mayores cuando tú eras niña. Gentes cuyo nombre desconoces pero cuya risa recuerdas.

Cogiste la mano de tu abuela. Ella los miraba a los ojos con insolencia mientras le gritaban: «Arpía, bruja».

—Son gente mala, mi niña —decía la abuela—. No entienden lo de tu madre.

Aceleraban cada vez más el paso y llegaron al acantilado acaloradas. La abuela con las mejillas arreboladas parecía una niña. Sólo allí se dio cuenta de que huían. Su abuela se apoyó en la tapia del cementerio y entonces ella vio una sombra roja que borraba el mundo.

Cuando despertó, su abuela estaba inclinada sobre ella. Hacía cruces sobre su frente con la chaqueta que había estado en misa:

> Dios que te dio,
> Dios que te crió,
> Quiebra los ojos al que te embrujó.

Le sonrió.

—Pero, abuela, ellos dicen que la bruja eres tú.

—No soy yo quien hace daño —dijo mi abuela.

Y ahora su abuela estaba enterrada en ese mismo cementerio y ella se sentía culpable como entonces, culpable de ser perseguida sin saber exactamente por qué.

Oyó sus pasos sobre las losas de la iglesia. Muchas de ellas tenían inscripciones. Estaba caminando sobre las tumbas de sus antepasados. Ya no era una niña. Y sin embargo tenía el mismo miedo infantil, el miedo al que no sabemos poner rostro ni nombre, que es el peor de los miedos. Caminó hacia la cripta, pero la puerta de hierro que llevaba a la galería de los muertos estaba cerrada. Se dio cuenta de que era otra cosa lo que la atraía.

Pasó por detrás del altar, se acercó al retrato de la Magdalena y extendió su mano hasta tocar el lienzo. Donde debía estar la suavidad de los cabellos pelirrojos, de la boca sensual, de la ilusión de mujer que el artista había creado, encontró la aspereza del óleo derrumbado por los años. Puso su mano derecha sobre la mano derecha de la Magdalena del lienzo. Puso los dedos de la mano izquierda en los dedos de la mano izquierda de la Magdalena. Estaba pintada a tamaño natural, o al menos al tamaño de Ainur. Sus manos coincidían como en un espejo. Puso los labios sobre los labios entreabiertos de Selene. Cerró los ojos y los besó. Sabían a viejo, a salado, casi a orín. Estoy loca, pensó, y una lágrima cayó mojando las mejillas del retrato.

Ainur significa luz de luna y Selene es la Luna. Siempre han puesto esos nombres en mi familia. Selene soy yo. Y ella es Ainur, porque tiene más luz que yo. También a mí me persiguen para matarme y también como ella soy inocente. ¿O en realidad las dos somos culpables? No es posible que la víctima sea siempre inocente. La víctima tiene que haber hecho algo. Al menos eso la haría sentir mejor. La víctima no siempre es culpable pero siempre se siente culpable.

Acarició el rostro turbado del retrato y entonces sintió unos labios que abrasaban su cuello y un aliento besando el lóbulo de sus orejas. Se fundió en un beso largo, atormentado: las bocas y los dientes se cruzaron, las salivas se unieron, sintió cómo se abría por dentro con aquel beso. Tenía los ojos cerrados. Le parecía que el retrato la había besado pero en el interior del beso, rodeado por su fragor, sabía que sólo había una persona capaz de besar así. De envolverla en su olor hasta partirla en dos.

Cayó al suelo lentamente. El farero frenó su caída sin dejar de besarla: en las cejas, en los ojos, en la comisura de los labios, en el nacimiento de los pezones, en el ombligo.

Hicieron el amor a los pies del retrato de Selene, sobre las losas heladas e indiferentes de la iglesia, sobre los nombres de los muertos, con tanta devoción como si consumaran un sacrificio.

Escribirás más libros después de Selene?

—No, éste es el único libro que siempre quise escribir. Lo escribo para mí y para ti y para Selene. Es un libro privado. El libro de una vida. Si consigo terminarlo no escribiré nada más hasta mi muerte. Ya no creo en los libros, cuando era niña pensaba que podían cambiar el mundo, ahora sé que son sólo árboles cortados y horas perdidas.

Te das cuenta de que te haces viejo cuando empieza a parecerte que todo se repite. Que ves día tras día a las mismas personas que te comentan las mismas cosas, que vives una y otra vez lo mismo y que lo único que cambia es el sol o la lluvia, la niebla o el viento. El clima da una falsa ilusión de variedad a una vida que es un mismo día repetido. Quizá por eso a la gente le conforta tanto hablar del tiempo. Si viviéramos lo suficiente sabríamos que la lluvia de hoy gris y salada es igual que la tormenta que asoló Llanes hace cuatrocientos años. De momento sabemos sólo que la lluvia como el mar siempre es la misma y siempre es distinta. Mientras que nuestra vida empieza a ser siempre la misma sin ser nunca distinta. Encontramos a las mismas personas y les decimos cosas iguales o parecidas. Cuando el sentimiento de repetición llega al amor sabes que estás acabado. Sabes que estás en la fase A o en la fase B, porque ya las has vivido, y esperas con anhelo y decepción a partes iguales la fase Z, esa que llega cuando ya nada importa. Una relación acaba y otra empieza, pero algo de ti se ha desgastado por el uso. Al final te sientes como un cuchillo que ha perdido el filo de tanto usarlo. Lo malo es que los cuchillos que no cortan, como tú, no sirven para nada.

No nos habíamos dado el número de teléfono porque ni siquiera lo teníamos. No sabíamos el segundo apellido del otro ni el nombre de su madre ni su plato favorito. Cada noche encendía una vela y la ponía en mi ventana. Cada noche el viejo faro alumbraba en mi dirección. Entonces me bañaba, me perfumaba y me sentaba a esperarlo. No solía tardar mucho. Poco después de oscurecer, oía tres golpes en la puerta. Siempre los daba, aunque sabía que estaba abierta. Luego se acercaba por detrás y comenzaba a besarme la nuca, el cuello, a lamer mis orejas y acariciar sus lóbulos, a dibujar sus dientes en mi ombligo, a devorarme. Nos dormíamos al amanecer, al menos yo me dormía porque al despertar él no estaba. Yo nunca iba al faro, él siempre venía a mi casa. En cierto modo eso me hacía sentir más segura. Nos veíamos en mi territorio, en el único lugar de aquel pueblo en el que no tenía siempre miedo. Le preguntaba qué hacía cuando no estaba conmigo, aunque en realidad me importaba poco. Para mí mi vida y la suya perdían importancia cuando se separaban. Éramos como fantasmas el uno sin el otro. Sólo cuando estábamos juntos sentía que éramos reales, que latíamos, que estábamos vivos. Creo que, igual que yo, lo que hacía cuando no estaba conmigo era esperarme, esperar el momento de estar juntos, postergarlo, hacerlo durar. Él decía que me traicionaba con sus libros. Tengo muchos, decía, un día te los presentaré a todos. Hablaba de los libros como viejos conocidos, algunos queridos, otros odiados, pero a los que nos reconforta ver porque encontrarlos es sentirte en casa.

Para mí los libros no sólo eran reconfortantes, no eran sólo los únicos compañeros que no me habían abandonado, sino que podían hacer sufrir. Y sin embargo, en aquel tiempo, mientras lo esperaba, leía muchísimo, sobre Selene, sobre las montañas, sobre tantas cosas que eran una sola porque, como a todos los enamorados, me parecía que todos los libros hablaban de mí.

Y, de repente, una noche no vino. Por la mañana caminé hasta el faro. Llamé incluso a la puerta. Nadie respondió. Pegué mi oreja a la madera reseca pintada de verde de la puerta. No oí nada. Puse mi ojo en la cerradura ojival y entonces me sobresaltó un ruido de bolas de hierro que se desploman. Miré hacia arriba, parecía un trueno, era el ruido de un avión que cruza el cielo por encima de las nubes. El avión ya no se veía. Quedaba sólo el surco que había dejado en el cielo como el arado en la tierra. Le había escrito una nota, pero no me atreví a dejársela. Se fue calentando en mi mano hasta parecer un ratón. Tampoco vino esa noche. La tercera noche esperé toda la noche despierta. Me pareció oír la voz de mi abuela, aunque sabía que estaba sola. El viejo grifo que goteaba en la cocina me servía de reloj de cuco para los minutos interminables. Se me cerraban los ojos. Pensaba: si consigo esperar toda la noche sin dormirme, volverá a mí. Los cerraba un momento y los volvía a abrir asustada, segura de haber oído pasos. Pero eran los míos. Medía la casa con mis pies y me parecía demasiado pequeña para vivir. Contaba mis pasos en las baldosas antiguas y me parecía demasiado grande para limpiar. Oí cantar la curuxa, quizá fue en sueños. Esperé toda la noche. Él no vino. Por la mañana, sin embargo, una mancha oscura me aguardaba cuando abrí la puerta. Era Satán. Había regresado.

Cuando me despierto de noche en mi casa, oigo un ronquido. Me quedo sentada y aguzo el oído y entonces me doy cuenta de que es el rugido del mar. Luego oigo soplar el viento como si un niño soplara en un tubo y la lluvia comienza a caer, rebelde, sobre mí. Ésa es la hora en la que me visitan mis miedos y mis esperanzas. Y no sé cuál de los dos es más temible.

Desde pequeña me pareció que la única cosa por la que merecía la pena vivir eran los libros. Mi madre también lo pensaba porque me daba de merendar mientras leía un libro, cocinaba con un libro en la mano y era incapaz de tragar bocado si no era pasando las páginas de un libro. Crecí en una casa donde había libros encima y debajo de la cama, encima de la nevera, sobre las mesas y bajo las mesas, en el alféizar de la ventana, a veces sobre el felpudo de la puerta, en el suelo del salón y en el de la cocina. Mi padre gritaba a mi madre que estaba loca por tener la casa así y ella le contestaba protegiéndose con las páginas de un libro.

Mi madre usaba los libros para esconderse detrás de ellos y que la vida no la pudiera encontrar.

La vida no la encontró pero la muerte la acabó encontrando por mucho que se quisiera esconder detrás de las palabras. Si yo hubiera sido una adolescente normal, me hubiera rebelado. Habría renegado de los libros para consagrarme sólo a las pantallas de plasma en las que todo el mundo me decía que estaba escrito el futuro. Pero ya era tarde para mí. En la casa de mi madre, y digo bien la casa de mi madre aunque hubiera debido decir la casa de los libros, porque todos los demás, mi abuela y yo y por supuesto mi padre, éramos unos intrusos y mi madre, apenas una invitada. Padre duró poco en nuestras vidas, los libros ocuparon su lugar. En la casa de mi madre adquirí el terrible hábito de leer. Terrible porque, sin hacer caso de los gritos de mi abuela, me fui pareciendo cada día más a mi madre. Por eso, cuando cumplí quince años e intenté alejarme de ella, me fue casi imposible. Adquirí el terrible vicio de leer que pronto me hizo objeto de las burlas de mis compañeros de clase. Yo vivía en un mundo distinto del suyo, usaba palabras distintas a las suyas. Pasaba tan poco tiempo en el mundo real que no me di cuenta de que lo único que los niños no pueden perdonar es la diferencia.

Era un poco más gordita que las demás, un poco más pelirroja, más pecosa y con una forma de reír distinta y una mirada particularmente verde, pero nada de todo eso hubiera sido tan grave si no hubiese sido por la funesta manía de leer. Comencé leyendo a *Los Cinco* y me fui internando en los páramos de Enid Blyton y, antes de que quisiera darme cuenta, se habían convertido en los terribles páramos de Heathcliff y Emily Brontë. Me enamoré de Lovecraft y leí *Crimen y castigo* cuando sólo tenía trece años. Para entonces, era demasiado tarde para mí. Como mi abuela se empeñaba en recalcar cada vez que me llevaba a misa, ya no había esperanza de que fuese una chica normal que se echase un novio normal y tuviese una profesión normal, que fuese peluquera o programadora de ordenadores o profesora de educación física y que me casase con un chico normal que me diese hijos normales. A los trece años, mientras crecían mis tetas y mis dioptrías, cualquiera que me viese sentada en el inodoro escondiendo las gafas detrás de un libro podía darse cuenta de que no había nada normal en mí; que acabaría casándome con un libro o, peor aún, acabaría como mi madre casada con alguien como papá que odiaba tanto los libros que era incapaz de tirarlos sin haberlos leído, alguien que me abandonaría antes de tener tiempo de conocerme.

Y ahora, aunque ya nunca tenía tiempo para leerlos, los libros seguían invadiendo la casa igual que el despiste de mi madre; los encontrábamos cuando abríamos la nevera en lugar de encontrar algo que comer y, a pesar de eso, sobrevivíamos. Incluso quisimos creer que éramos felices. Sólo supe que era cierto cuando ya era demasiado tarde.

A pesar de todo, mi adolescencia contaminada de libros y la influencia de mi miope y bondadosa madre no terminó conmigo. En contra de las peores predicciones de mi abuela, conseguí acabar la carrera de Historia e incluso alguna vez tuve novio. La única secuela claramente visible de mi pasado y mi presente libresco fue que, durante algunos años, soñé con ser escritora.

Aínur

Me gustan las historias con principio, medio y final. Como el *Lazarillo.*

El *Lazarillo,* la más grande novela que vieron los tiempos, oscurecida por ser anónima y engrandecida por lo mismo, cuyo autor nunca gozó de su fama y es por lo mismo el más grande autor de la literatura española.

Al final Selene no fue acusada ni condenada por haber anunciado con exactitud la muerte de un hombre, ni por curar a los enfermos ni por salvar a los niños en los partos de nalgas y librar a la molinera de las fiebres puerperales. Fue pasado por alto que conocía la medicina y era partera. Al contrario, como prueba irrefutable de su condición de bruja se dijo que sabía leer y que poseía libros prohibidos. Esto último era cierto y pudo probarse ya que se le halló entre sus ropas una edición de 1554 del *Lazarillo de Tormes.*

Quizá habría sido escritora si no hubiera tenido la suerte de que una de mis compañeras de clase en el colegio Nazaret acabó siéndolo. Si no fuera por Eugenia Rico quizá yo también habría acabado siendo escritora. Sin duda eso hubiera acabado de matar a mi padre, para el que eso de ser escritora era como ser puta.

Pero la tal Eugenia Rico se hizo escritora y, no sé cómo, logró publicar. Casi no era capaz de recordarla. Me parece que era tan gordita y miope como yo; aunque nunca la vi tropezando en el pasillo a causa de ir leyendo un ejemplar del *Lazarillo,* como me sucedió una vez a mí. El caso es que la tal Eugenia no se diferenciaba en nada de mí, sino en que su cara era aún más borrosa y difícil de recordar. La reconocí sin embargo cuando publicó su primer libro, *Los amantes tristes,* y más tarde cuando leí *La muerte blanca.* La verdad es que esos libros me decepcionaron mucho porque yo creo que los libros tienen que tener un principio, un nudo y un desenlace, al menos los buenos libros, al menos los libros que me gustan, y la tal Eugenia tenía a veces tres principios y otros tres desenlaces. No ponía guiones a los diálogos como yo había visto hacer a algunos autores extranjeros, supongo que para acrecentar aquella sensación de extrañamiento que producían sus novelas. A mí todo aquello me dejaba fría y en realidad me ponía nerviosa. Algunas de sus novelas me daban miedo. Y con ninguna me hubiera atrevido a ir a la cama. Una vez, la tal Eugenia dijo que la buena literatura da miedo al que la lee y al que la escribe. Bueno, pues conmigo lo había conseguido. Su *Muerte blanca* me pareció una historia descarnada, porno del alma con palabras como cuchillos. Creo que ella creía hacer *nouveau roman.* Parecía una autora extranjera. Sus novelas se me antojaban demasiado modernas, y a mí siempre me ha gustado la literatura castellana donde no hay lugar para lo fantástico. Si yo escribiera libros, escribiría libros con un principio, por ejemplo, en el que una pobre muchacha es acusada injustamente de ser bruja; un nudo sólido, por ejemplo en el que la muchacha sufre un proceso cruel en el que el inquisidor trata de seducirla, y un final ejemplar que no deja cabos sueltos en el que sabemos lo que sucede con todos los personajes incluidas las tías del pueblo de la protagonista. Escribiría un final en el que incluso se supiera qué fue de mi amiga Eugenia Rico, adónde fue a parar, por qué se hizo escritora y me libró a mí de terminar siéndolo.

Porque yo escribía microcuentos, cuentecillos y cuentecillas, novelas, noveluchas y folletines por entregas que consideraba geniales, hasta que un día me enteré de que Eugenia estaba firmando en la Feria del Libro y fui a verla firmar.

Me costó encontrar a Eugenia, escondida entre los guardias de seguridad que protegían a un famoso locutor televisivo y las colas inmensas de un futbolista de éxito que había escrito una novela de templarios con varios enigmas, tres sectas secretas y las últimas teorías sobre la genealogía de Jesucristo... Ella, como casi todos los escritores que no salían en la tele, estaba sola. Los escritores me recordaron a las putitas de Ámsterdam, cada uno en su caseta esperando a los clientes. Parecían caballos en sus boxes. Pero, a diferencia de las putitas, no tenían cristal que los protegiese. Se diferenciaban de los caballos en que no se dejaban acariciar.

Me dio tanta pena que abandoné para siempre la idea de publicar y escribir libros. Y, de todas formas, mi vida cambió de tal manera que muy pronto ni siquiera tuve tiempo para leerlos.

Y, sin embargo, los libros son lo único que me queda en este confín del mundo. Leo sobre brujería. Leo el *Auto de Fe,* de Salazar. Leo sobre las brujas de Zugarramundi y leo todo lo que cae en mi mano. Libros del padre Alba sobre la salvación del alma. *Cumbres borrascosas, Grandes esperanzas, Bartleby, el escribiente* y *Benito Cereno,* de Herman Melville, que tuvo tan poco éxito en vida que sus amigos le rogaron que dejara de escribir, y *Los pazos de Ulloa,* de Emilia Pardo Bazán. Leo a Galdós, *Don Benito el garbancero,* injustamente olvidado, el hombre que pudo ganar el Premio Nobel que ganó José Echegaray, un premio que no le dieron por sus ideas. No se puede escribir en un país en el que los jóvenes escritores se unen para impedir que le den el Premio Nobel a un viejo ciego, justo y genial. Galdós escribió a mano más de lo que cualquier escritor es hoy capaz de leer.

Y leo una y otra vez el *Lazarillo,* mi *Lazarillo.* No encuentro mucho que leer sobre Selene. Su existencia parece cierta y no legendaria, pero por el momento sólo tengo las oscuras actas de su proceso y no me encuentro con ánimo estos días para leerlo.

Desde que él se fue, las noches y los días se han hecho más largos, casi eternos. Tengo todo el tiempo del mundo, no tengo hambre, no tengo sed, sólo tengo sueño y ganas de perderme en los libros y de pasear por el acantilado.

No pienso en el farero.

No pienso en mí.

No pienso.

No podía dormir por la noche. Me removía en mi cama buscando otra piel. Estaba muy cansada, pero, cada vez que cerraba los ojos, un buitre cruel me los abría a picotazos. Era algo nuevo. Siempre había dormido como una niña, menos cuando lo era. Entonces, a la anciana edad de cinco o seis años, me había asaltado una duda terrible que me quitó el sueño durante los mejores años de mi infancia. En aquel tiempo yo tenía sueños tan vívidos que no era capaz de diferenciar lo que los mayores llamaban Sueño de lo que llamaban Realidad. Para mí eran lo mismo y, sin embargo, todos, mi madre, mi abuela, me decían que los sueños no existían y ellos sí. En los sueños, yo comía los caramelos mejores del mundo; en sueños recibía los mejores abrazos y en sueños había sufrido las peores palizas de mi corta vida. Nada me hacía dudar de los sueños. En cambio era lo que llamaban Realidad lo que me parecía cada vez más sospechoso. Pensando y pensando sobre ello, iba retrasando cada día un poco más la hora de irme a dormir, porque temía mis sueños tanto como los deseaba. Dormir era como morir, pero estaba lleno de rostros, de risa, de gritos. No me atreví a desconfiar de mis sueños. Desconfié en cambio de los mayores que, al fin y al cabo, decían muchas mentiras. Me habían dicho, por ejemplo, que unos Reyes de Oriente venían por el cielo a traer juguetes a los niños, sin explicarme cómo podían estar en todas partes a la vez y por qué a algunos niños les traían todo lo que pedían y a otros, como a mí, no les traían nada. No me escandalizó descubrir que los reyes eran mi madre y mi abuela; no dudé de la existencia de los Magos de Oriente, sino de la existencia de mis padres. A la luz de los sueños, todo lo vivido durante el día era pálido y fantasmal. Empecé a creer que yo era el único ser existente y las personas y las cosas que veía durante el día o durante la noche, despierta o en sueños, eran sólo las proyecciones con las que mi mente trataba de distraer la soledad infinita. El pensamiento de estar completamente sola en el mundo era más de lo que podía soportar una niña de seis años. No dormía creyendo que, si permanecía despierta, los sueños huirían y yo acabaría viendo la verdadera cara del mundo. Un día se lo conté a mi abuela, que no se rió ni me castigó. Me dijo que, aunque mi teoría pudiese ser cierta, mientras el mundo de las apariencias fuera tan fuerte, yo tendría que vivir de acuerdo con ellas, sin creer en ellas y sin temerlas. No la comprendí entonces y puede ser que tampoco la comprenda ahora, cuando el farero ha desaparecido y por fin sé que es cierto: que soy la única persona del mundo y estaré sola para siempre. Y, sin embargo, en noches sin luna como ésta, escucho en la calle pasos que no sé adónde van y deseo con todas mis fuerzas no ser la última mujer del mundo y que alguien venga esta noche a demostrármelo con sus brazos y sus abrazos.

Tengo frío de pronto.

Un frío que no viene de la noche sino de algún lugar dentro de mí. No es verdad que haya fuego en el infierno.

El infierno es un lugar helado.

Lo sé porque he estado.

Eran las últimas horas de la tarde, ya se había ocultado el sol y aún no había salido la luna. Ainur no vio nada. Ni siquiera oyó nada. No fue un ruido lo que le hizo girar la cabeza mientras el hombre vestido de negro se acercaba con las rodillas flexionadas y una mueca en la cara que se parecía tanto a una sonrisa como la abertura de una calavera. No hubo ruidos, sólo una sensación poderosa subiendo desde las tripas hasta los ojos, la sensación penetrante en su nuca de que

Selene

alguien estaba observándola.

Se había desnudado en el arroyo segura de que no habría nadie allí a esas horas. Eran las primeras horas de la mañana, ya había salido el sol y la luna todavía no se había ocultado. Era una luna fantasma que parecía velar por las pesadillas de los que no se habían despertado aún. Selene se levantaba con el canto del gallo, o al menos había un gallo que cantaba cada día cuando ella se despertaba porque los gallos de la aldea de Selene cantaban toda la noche, mientras ella daba vueltas nerviosa en la oscuridad, buscando a tientas en el jergón y bajo la almohada algo que nunca acababa de encontrar.

Tenía veinticinco años y era la sanadora más reputada del concejo. Incluso los burgueses la preferían a los cirujanos de más renombre. Desde la peste el número de sus pacientes no hacía más que aumentar. Se había divulgado que su maestro fue aquel famosísimo médico judío, capaz de devolver la vista a los ciegos. Selene todavía no había devuelto la vista a ninguno pero salvaba muchas vidas. Su especialidad era curar las fiebres de las parturientas que trataba con mimo, con aliolaga y con emplastos calientes de centeno.

La miseria en la que había vivido mientras recorría el norte de España curando por la voluntad parecía cosa del pasado y sin embargo ella no se sentía segura. Había algo en el canto de los gallos y en la mirada de su fiel perro que le hacía presagiar peligros ocultos. Esa madrugada la sensación de opresión en su pecho casi no la dejó respirar, por eso había venido al arroyo, para sentirse de nuevo libre, sin preocupaciones, para ser de nuevo virgen.

Sintió calor en su nuca y se volvió a un lado y a otro. No vio a nadie, sólo un tordo se apoyaba en un arbusto gozando de los primeros rayos de sol. Y sin embargo seguía sintiendo la misma emoción poderosa recorriéndola como un escalofrío desde sus tripas a sus ojos. La estaban vigilando. Algo o alguien con malas intenciones.

No vio a nadie, ni oyó nada, así que se sumergió en el arroyo y se dejó flotar mecida por la corriente. El agua estaba fría, con una frialdad que a Selene le pareció vivificadora. Esa agua venía de los Montes del Destino, de la nieve fundida en los pasos por los que ningún ser humano había logrado cruzar, y ahora ella podía bañarse en la nieve como si fuera una xana, como si fuera tan joven que no le hubiese dado tiempo a arrepentirse de nada. Quería que la corriente se llevase todos los malos recuerdos: la amargura por la muerte de su tía Milagros, el horror de la peste, la estupidez de los hombres. Cerró los ojos y sintió el sol desmayado sobre ella. Por un momento pensó que era el único ser humano en la Tierra que no tendría que morir.

El aliento a ajo y verdura pasada la golpeó antes que la mano peluda que le agarró la garganta, de ese modo antes de que su mente tuviera tiempo de pensar todo su cuerpo se había puesto en marcha. Ya le faltaba el aire cuando consiguió morder la mano peluda, eso le dio tiempo para salir a la superficie y respirar. Vio el reflejo del gigante tuerto en el agua y vio el blasón de la Orden de Santo Domingo en su pecho. Todos esos detalles no tenían importancia porque el hombre era descomunal, y aunque ella consiguió escabullirse sumergiéndose en el agua y nadando bajo la superficie, volvió a atraparla un poco más abajo. Ella estaba desnuda y se retorcía como un pescado. Él se detuvo un momento para bajarse los calzones mientras le sujetaba el cuello con una sola mano. Selene consiguió darse la vuelta y golpearle los testículos. Así ganó unos segundos. Salió del agua y echó a correr desnuda. Le sacó unos minutos de ventaja pero al cabo el hombre la derribó en el suelo, la abofeteó y se sentó a horcajadas sobre ella.

Estaban en un recodo donde el río hacía un remanso, en los arbustos extendidas como flores mustias enormes sábanas blancas. Comenzó a oírse un ruido de gemidos que al acercarse se convirtieron en canto. Selene sabía que eran las lavanderas de la villa que acudían juntas para hacer más llevadera la dura jornada de trabajo. Dio un gran grito y el hombre se desasió, no por ella, quizá recelando la llegada de la gente. Al cabo de pocos segundos una procesión de mujeres cargadas de grandes cestos apareció en el camino. Junto a ellas iba el viejo Nicolás, armado con su cachaba, que las acompañaba cada mañana.

Selene se encogió como en el seno de su madre, porque estaba desnuda.

Ahora estaba a salvo. Las buenas gentes la protegerían del hombre que había intentado violarla.

El hombre no huyó. Con tranquilidad la señaló y dijo:

—Paz a las buenas gentes que me ayudarán a prender a esta bruja.

Ainur

Ainur sentía que la estaban mirando. Miró de nuevo a su alrededor. No vio a nadie y eso en lugar de tranquilizarla le hizo sentir aún más indefensa. Alguien estaba observándola y ella no lo veía. Por unos momentos, soñó que el farero estaba a punto de aparecer tras una esquina para abrazarla. Entornó los ojos para que el fuerte sol de la tarde no la cegase. Estaba a pleno día en medio de un pueblo desierto, no había motivo para sentirse así como si estuviera sola de noche en un callejón oscuro. Deseó que Satán estuviera a su lado. Entonces vio la sombra, las gafas negras, la gabardina oscura. Echó a correr, sin motivo, sin razón, como una niña, corrió hasta sobrepasar el crucero que antaño señaló el final del pueblo, el comienzo de lo desconocido, y ahora marcaba el centro exacto de la población, allí tropezó y cayó al suelo. Miró hacia atrás y no vio a nadie. Pero ella estaba segura de haber oído unos pasos que la seguían y de haber visto al Señor Oscuro avanzando hacia ella a grandes zancadas. Llevaba algo en la mano, algo brillante que daba miedo. Como él.

Selene

La llevaron hasta el crucero que alejaba del pueblo los malos espíritus. El gigante mandó llamar a un sacerdote y le anunció que recorría el mundo descubriendo brujas y salvando de ellas a las buenas gentes. Anunció además que esperaba que el municipio le pagase una buena suma por ésta, que era tan hermosa como maligna, pues de ése y no de otro modo se ganaba él su honesto sustento. Selene estaba cubierta con una sábana de lino. Le había sido imposible recuperar sus ropas. Pensó que las mujeres la defenderían pero la rodeaban con un coro de pequeñas risas chillonas, se daban codazos las unas a las otras y ocultaban el rostro tras los delantales. Selene no sabía si estaban asustadas o divertidas. Hablaban todas a la vez, algunas se frotaban las manos encallecidas y otras se las llevaban a los cabellos. Comprendió que ninguna decía nada por temor a que la acusaran a ella de bruja. Habían venido muchos chiquillos y a medida que se corría la voz se formaba un gran corro. Allí estaban casi todos los hombres libres, los que no servían a un amo que les hubiera prohibido la diversión e incluso algunos siervos. Todo el mundo alzaba la voz y el ambiente era de fiesta.

Cuando Selene vio llegar al sacerdote, al que conocía pues era el párroco de la Magdalena, le suplicó:

—Padre, ayúdeme, me acojo a sagrado y pido castigo para este hombre que ha intentado violentarme.

—Hija mía —dijo el sacerdote cauteloso, mirando a uno y a otro lado—, te han hecho acusaciones muy graves. Es menester aclararlas en primer lugar.

—Entonces, padre, deme mis vestidos.

El sacerdote no contestó pues todos sabían que para probar si una mujer era bruja o no había que desnudarla.

Seguía llegando gente, pequeños comerciantes, toneleros, algunos pescadores y una o dos matronas con niños pequeños agarrados a sus faldas.

El gigante tuerto comenzó a declamar ante aquellas gentes. Al principio nadie le escuchaba. Luego se hizo el silencio. Manifestó que había oído a espíritus del camposanto, entregados a la cópula carnal con Satán.

—Pregunté y supe que en este pueblo vivía una hechicera que curaba con artes diabólicas. Sin duda es ella la que ha hecho levantar a los muertos para ofrecerlos al Diablo.

El cura meneó la cabeza. Y añadió que no era infrecuente que el Diablo se ayudara de hechiceros disfrazados de seres humanos.

La turbamulta empezó a gritar:

—¡Desnudadla! ¡Desnudad a la bruja!

Arrancaron la sábana que cubría a Selene. Hombres y mujeres que hasta hace poco la miraban con afecto cuando se cruzaba con ellos por la calle la observaron ahora con odio y lascivia.

—Sois unos asnos lujuriosos —gritó Selene.

El tuerto le dio un golpe para que se callara y nadie protestó. Abrió su zurrón y sacó un punzón que mostró triunfal.

Rasgó con él la piel de Selene cerca del ombligo y luego ante el regocijo general comenzó a pincharla en los pechos, en las ingles, en todo el cuerpo. Selene miraba al suelo y se esforzaba en no proferir ni un gemido. Pequeños hilillos de sangre comenzaron a cubrir su desnudez.

—Si sangra no es una bruja —exclamó una lavandera.

—Las brujas son listas, pueden sangrar a voluntad.

Ante esto todo el mundo se calló.

Para zanjar la cuestión el hombretón señaló una marca marrón en el tobillo izquierdo de Selene. Era evidentemente una marca de nacimiento y semejaba un racimo de uvas.

—¡Aquí está! —dijo el cazador de brujas—. ¡La marca del Diablo!

—Es un antojo —dijo una mujer anciana que se abrió paso hasta la primera fila. Era Casilda.

—Tú, cállate, o te acusaremos también a ti.

Y procedió a apretar el punzón contra la señal. Selene no sintió ningún dolor. No manó ninguna sangre.

—Lo veis todos, es insensible.

Selene trató de hablar pero un aguacero de golpes la arrojó al suelo.

Las lavanderas propusieron sumergirla en el río para someterla al juicio de Dios. Selene sabía que eso significaba ahogarla.

La arrastraron por los rastrojos y la ataron a una cruz improvisada. Arrojaron la cruz a un vado poco profundo, allí la sumergieron en medio de grandes gritos. Luego se hizo el silencio mientras miraban las burbujas, que se hacían más pequeñas y más débiles, y en el mismo momento en que desaparecieron la izaron y el sacerdote quiso ofrecerle la oportunidad de confesar:

—¿Reconoces haber curado con artes diabólicas?

Selene aún respiraba. Débilmente. Intentó balbucear unas palabras. Sólo pudo toser y jadear.

Se disponían a sumergirla de nuevo cuando Casilda se acercó a la orilla, la acompañaban dos hombres con hábito. Uno muy alto y el otro bajo y rechoncho. Todo el mundo los reconoció. Eran los dos únicos frailes que no habían huido en los tiempos de la peste. Habían estado en la iglesia lazareto codo a codo con Selene y Casilda. Los dos eran muy queridos, así que los murmullos callaron cuando alzaron la voz.

—¡Alto, hermanos! Esta mujer arriesgó su vida por la nuestra y contrajo la plaga por aliviar a muchos. No podemos dejarla morir sin juicio ni confesión.

Todo el mundo asintió. Los dos frailes aleccionados por Casilda pidieron examinar el punzón del cazador de brujas.

Enseguida se vio que tenía un resorte que usado a voluntad impedía que se clavara en la piel, con las consecuencias que ya había sufrido Selene.

—Este hombre es un farsante y esta mujer es inocente —dictaminó el más alto.

—¡Alabado sea Dios! —sollozaba Casilda.

La misma turba que había estado a punto de ahogar a Selene se lanzó ahora contra el falso dominico. La desataron a ella y le ataron a él a la cruz y comenzaron a sumergirlo en el agua.

Selene y los monjes no se quedaron a ver cómo terminaba la cosa. Se alejaron. Selene apenas podía caminar. Se apoyó en el hombro de Casilda, que la había cubierto con su capa. Y el cielo se volvió negro y las tinieblas se comieron la luz del mundo.

Ainur

Selene cayó al suelo en el mismo lugar donde Ainur tropezaría en su huida más de trescientos años después. Se golpeó la cabeza contra el crucero de piedra que seguiría allí trescientos años más tarde cuando el hombre vestido de negro tratase de violar a Ainur apoyándola violentamente contra su sombra. Para entonces el pueblo habría cambiado, los acantilados habrían cambiado, el aire no olería igual, la pestilencia de verduras, orines y leche agria que olió Selene aquella mañana en el arroyo cerca de la fuente habría desaparecido, sin embargo, el crucero sería el mismo, el musgo lo habría devorado en parte aunque la cruz de piedra seguiría irguiéndose frente a la luna que ya no era la misma desde que los hombres creían haberla pisado.

Ainur se detuvo a descansar. Sin saberlo apoyó la cabeza contra un banco que se levantaba en el mismo lugar donde había estado la pira de Selene, el lugar donde la leña húmeda había sido amontonada precipitadamente para que el humo fuera tan negro como el desagrado de Dios.

Es difícil creer que las cosas que no se ven son más importantes que las que se ven, pero es cierto. No ves la célula cancerígena que está invadiendo tus pulmones. No ves lo que te mata. No ves el espermatozoide de tu padre cuando fecunda al óvulo de tu madre. No ves lo que da vida. Sólo ves cosas que no tienen nada que ver contigo, como el mar, como las montañas o como los ríos. Cosas que siguen su curso sin ti o contigo, mientras que las cosas invisibles determinan tu vida. Las feromonas en el cuello de una camisa son más importantes que los ojos que te miran.

Te enamoras de unas feromonas y crees que te has enamorado de unos ojos.

El que tenga ojos para ver, que vea. Pero yo tenía los ojos cerrados.

Selene

Tenía veinticinco años y estaba a punto de ser la mujer más rica de la comarca. Sin embargo no llegaba nunca a serlo, a pesar de que los enfermos venían desde lejos a verme y de que el cirujano de Lastres y el de Viella se quejaban amargamente de que les había quitado todos sus clientes. Siempre me ocurría algo, alguna desgracia y todo se quedaba en «casi». Un año era la quiebra de un banquero florentino en el que había confiado, otro era que mi criada huía con todos mis cuartos. Sabía que no era casualidad, que una parte de mí pensaba que no se lo merecía, una parte de mí tenía miedo, miedo a la prosperidad, miedo a ser feliz, miedo a ser yo.

Me había salvado del cazador de brujas pero no me salvaría de la envidia. Casilda, que ahora no se separaba de mí, trató de convencerme de que huyéramos después de haber sufrido una vejación tal. Le respondí que los inocentes no huyen, sólo los culpables escapan. Me respondió que en nuestro tiempo ya no hay inocentes ni culpables.

—La desgracia nunca descansa —decía y atizaba más el fuego—. Desde que me acusaron de brujería siempre he tenido frío.

Aquel año la desgracia fue peor que otras veces y adoptó la forma inocente de un niño de seis años.

El viejo Rius era un hombre grande, vivía en la casa más grande del pueblo y cobraba grandes sumas a los pescadores por prestarles dinero. Todo en él era grande menos su corazón: los enormes ojos de pez, la gran boca y su verruga, la nariz afilada, la nuez enorme, incluso el tumor que palpé en su estómago era el mayor que yo había tratado nunca. No es fácil decirle a un hombre que va a morir. Mi tía Milagros no supo enseñarme y yo nunca he aprendido, así que le dije que no podía hacer nada por él y le prescribí láudano y adormidera. Se enfadó mucho y más aún cuando añadí que los dolores de los que se había quejado no harían más que aumentar. Me insultó, me amenazó, me ofreció más dinero y finalmente me despidió. Hizo llamar al cirujano de Lastres que tampoco pudo ayudarle y más tarde a un médico que había estudiado en Salamanca. Este último aseguró que le curaría si recibía catorce ducados. El viejo, que no había dejado de tomar mi láudano, se los dio sin pestañear. En ese momento toda su familia se dio cuenta de que se estaba muriendo porque ya ni siquiera le importaba el dinero.

A ellos sí, sin embargo, y se lo reclamaron cuando a los cinco días de tratamiento con laminaduras de plata y mercurio el viejo expiró entre grandes gritos.

El licenciado aseguró entonces que su tratamiento era efectivo y que si no había funcionado era porque había brujería de por medio. Mencionó mi nombre y el hecho de que no se me hubiera pagado. Nadie le habría creído si el más pequeño de la casa, el nietecillo de seis años, heredero de todo, no hubiera asegurado que había visto el alma de su abuelo escaparse por su nariz y era negra como la pez y pesada como el carbón.

En lugar de darle unos azotes le dieron crédito. Se pusieron a buscar amuletos y hechizos y, aunque no los encontraron, pensaron que aquello sólo podía ser obra del Demonio y el Demonio siempre tiene labios de mujer.

Aínur

Leo periódicos atrasados, como hacía el farero. En realidad, leo sus periódicos atrasados, los que dejó tras de sí, amontonados a los pies de mi cama. Su único testamento.

Los periódicos atrasados ya no son periódicos. Se han convertido en materia prima para hacer barquitos de papel o gorros de loco, para envolver castañas asadas o pescado poco fresco. Contienen noticias que ya no son noticias, que ya no son nuevas, que son de ayer. La noticia de hoy mata siempre a la noticia de ayer aunque sea la misma noticia, en periodismo no existen ni la verdad ni el ayer. Algo es noticia porque interesa hoy, si interesaba ayer vale, pero lo que interesó ayer no tiene percha para el hoy.

Así que leo periódicos atrasados con noticias que no son noticias. Es una manera de recordar que tampoco su desaparición es una noticia. Se ha esfumado de mi vida. Es un hecho.

Leo periódicos. Atrasados.

Leo el caso de unas gemelas separadas al nacer. Una de ellas creció con otra niña que no era su hermana y con sus padres, que eran ricos y guapos. La otra creció hija de madre soltera en una barriada marginal. Una se hizo juez. Otra sobrevivía robando y trapicheando con droga. Y un día se encontraron en un juzgado. Una dictaba sentencia, la otra era la acusada. El parecido era tan asombroso que la juez pidió una prueba de ADN. Entonces descubrió que eran hermanas. Gemelas. Idénticas. Pero la noticia era que la hermana pobre y delincuente había enloquecido. «Preferiría no haber conocido a mi hermana». Le atormentaba la idea de que su vida hubiera podido ser otra. Hubiera debido ser otra. Hasta entonces creía que las cosas eran así y basta. No se había planteado por qué era quien era ni por qué hacía lo que hacía. Pero tenía delante de sí el espejo de su hermana, de su hermana intachable y triunfadora. Ella había abortado el hijo de un yonqui. Su hermana tenía dos niños preciosos. Ella no había terminado la básica, su hermana era juez. Pero lo peor era saberlo. Saber que no tenía por qué ser así. Que ella no estaba condenada a esa vida, al contrario, estaba destinada a una vida mejor. Simplemente la habían cambiado al nacer.

Somos muchos los que tenemos la sensación de que nos han cambiado al nacer.

Quizá yo también tengo una gemela en alguna parte. ¿Y si Selene fuera mi gemela separada de mí no por el espacio sino por el tiempo? Si yo hubiera vivido en su época me hubieran quemado por bruja, ¿qué diría ella si pudiera ver a su gemela al otro lado del espejo? ¿Qué haría?

Leo periódicos atrasados.

Las noticias atrasadas duelen menos. Hace tiempo que han sucedido y ya nada puede hacerse para cambiarlas. Son como mi vida. Ya ha sucedido y no puede cambiarse.

Leo periódicos atrasados.

Selene

Entró un gigante tuerto con el blasón de la Orden de Santo Domingo en el pecho, sobre el sayo, y dos arcabuceros detrás, apuntando al aire con sus armas. El ojo ciego lo llevaba tapado con un paño de un rojo sucio y Selene pensó que parecía que se lo acababan de arrancar en una sucia pelea y que ése era el paño con el que se había restañado la sangre.

—En nombre de la Inquisición, entregadnos a esta mujer y vos, mujer, daos presa —dijo el alguacil.

Luego miró a Selene.

—¿Te acuerdas de mí? Porque yo no te he olvidado, no he olvidado el pelo del Diablo ni los senos que empiezan a echarse a perder como las manzanas que se pudren en la casa equivocada.

—Tú eres la casa equivocada.

—Sólo hablarás cuando se te pregunte.

—¿Puede decirme Vuesa Merced de qué se me acusa?

—El reo no tiene derecho a preguntar de qué se le acusa, sólo el Tribunal conoce las acusaciones, Vuesa Merced busque en su corazón y medite sobre sus culpas y confiéselas libremente, no porque sus pecados puedan conducirla a la hoguera sino porque conducen a la condenación eterna.

Selene se preguntaba si el dominico recordaría sus culpas, las corruptelas, las mujeres forzadas, las haciendas deshechas, las almas en pena que iba dejando por los caminos:

—Conoce Vuesa Merced el nombre del Dios que le va a perdonar todo esto.

Afortunadamente para ella había hablado en voz muy baja. Y el arcabucero que la conducía a empellones hacia una carreta sólo entendió que se pronunciaba el nombre de Dios. Pensó que la bruja estaba rezando.

Ainur

He estado toda la tarde paseando sobre el acantilado. Las nubes eran ballenas negras. Corrían asustadas hacia el sur. Querían irse. No sé adónde. El mar era un agujero oscuro. La tormenta estaba a punto de llegar. Los árboles se doblaban como labriegos y gemían como mujeres. Alto estaba el viento. Bajas las ramas. Baja mi mirada. Cabizbaja. Los grajos chillaban a lo lejos. Vuelvo a casa, apretando el *Lazarillo* contra mi pecho. He vuelto a llamar a la puerta del faro. Esta vez he dejado un mensaje. Un mensaje en una botella vacía.

Me acosté y dejé la puerta abierta, como hacía todas las noches, esperando que él volviera. Fuera comenzó a llover. Una rama golpeaba la ventana como si llamara a la puerta. Oía pasos en la calle y me preguntaba adónde irían a aquellas horas. Luego dejé de oírlos pero era porque estaba dormida.

Abrí los ojos sabiendo que alguien me estaba mirando. Había una respiración sobre mí, entrecortada, muy cerca de mi boca. No me moví. Vi la sombra oscura inclinarse sobre mi lecho y pensé que el farero había vuelto. Su boca se inclinó y encontró la mía. Me mordió el labio y sólo entonces, un minuto demasiado tarde, supe que no era él. Comencé a retorcerme. Me aplastó contra la cama como si fuera un mosquito. Le mordí la mano, le mordí la lengua. Chilló pero no me soltó. Bajo sus manos, yo ya no existía. Intenté gritar pero me tapaba la boca con la suya. No era un beso, no era un mordisco, era un tapón para que no me fuera por el desagüe. Apartó la manta y se puso a horcajadas sobre mí. Yo sentía su fuerza animal, su aliento de lobo, la náusea.

—Noo —conseguí decir.

—No digas no cuando quieras decir sí.

No era la voz del farero, ni eran sus modos dulces. La voz tartamudeaba al acabar las frases. Le clavé las uñas y me abofeteó.

Me dolió, me dolió mucho hasta que dejó de dolerme.

Todo había terminado. No sabía si había durado un minuto o si había durado siglos.

—No digas que te he violado porque no es cierto.

La voz tartamudeaba un poco al inicio de las frases, silbaba y luego se volvía cortante como un cuchillo. Yo veía la escena desde arriba. Me veía acurrucada en la cama en posición fetal y veía cómo el Señor Oscuro me curaba los cortes que él mismo me había hecho con agua oxigenada y la mano izquierda. Ponía su boca donde antes había puesto su fuerza. Había mucha sangre en la cama. ¿Dónde estaba yo? Flotaba sobre mí misma y ya no me importaba lo que me pasase. ¿Estaba muerta? Tenía la sensación de que, si no conseguía regresar a mi cuerpo, pronto lo estaría. ¿Era un sueño? ¿Una pesadilla?

La blancura de la cama iba inundándose de sangre. Había una mancha oscura que formaba un continente desconocido entre el Señor Oscuro y mi cuerpo desmadejado.

Me desperté. Estaba sola con Satán, que me lamía la mano. Todavía era de noche. El Señor Oscuro se había marchado y, por un momento, pensé que todo había sido un sueño. Entonces vi el hilillo de sangre que se escapaba de los labios de mi vulva. Satán gruñía quedamente. ¿Dónde estaba antes? ¿Por qué no había ladrado? ¿Conocía al Señor Oscuro?

stás viva, tan sólo te ha venido la regla.

Selene

La condujeron en una carreta, las manos atadas con una soga gruesa, custodiada por dos arcabuceros y cuatro oficiales a caballo. En los pueblos, la gente se arremolinaba para verla pasar. Los niños en brazos de sus padres, los mozos encaramados a los árboles y todos gritando, insultando:

—¡A la hoguera! ¡A la hoguera con la bruja!

En cuanto la veían de cerca, se hacía siempre un silencio. Era una mujer pequeña y delgada. De apariencia inofensiva y sin embargo con porte de reina y una extraña belleza cansada. No parecía una bruja. Y tras unos instantes aceptaban como lógico que así fuera: sabido es que Satanás escoge a menudo el disfraz de los inocentes. De modo que era como si aquellos instantes le sirvieran a la turba para tomar aliento y renovar sus gritos acompañados ahora por pedradas y una lluvia de objetos: verduras podridas, mendrugos de pan, trozos de madera. Todo eso tuvo que soportar Selene mientras la carreta tropezaba en las piedras de los caminos, patinaba sobre el barro, se enganchaba en los recodos ofreciendo en cada parada una nueva ocasión para la burla y el escarnio. En un villorrio de la Braña los mozos la atacaron con hondas y una piedra le partió el labio. La vista de la sangre que se le escapaba por la boca removió extrañas visiones de vampiros y las mujeres comenzaron a arrojar desde los balcones herradas de agua hirviendo. Los soldados dispararon al aire sus arcabuces y luego al verse cercados hicieron puntería. Un mozo cayó herido en el muslo. Selene lo reconoció. El año anterior le había tratado del cólico del vientre. Le había curado para que pudiera agredirla. Los arcabuceros se abrían paso con olor a pólvora y miedo y la horda se replegó chillando y jurando venganza. En otro pueblo les arrojaron huevos y uno le acertó en el pelo. Sus cabellos incendiados cayeron lacios como plantas muertas. Asemejaba ahora a un polluelo cuando sale del cascarón, indefenso y un tanto ridículo.

Aínur

Él ha vuelto. Ahora es él el que vuelve todas las noches. Pero no ha vuelto a tocarme. Al menos de momento. Y yo no sé por qué dejo la puerta abierta, ni sé por qué le dejo entrar. Quizá porque temo más la soledad que el miedo.

—Te has escondido aquí, en este pueblo, ¿de qué? ¿De quiénes? ¿Por qué huyes?

A veces como ahora, tartamudea. Siempre lleva unas gafas oscuras como para protegerse de la oscuridad.

—Yo nunca he huido en mi vida, ahora necesito huir del aburrimiento. Y eras lo más interesante que había en este pueblo. Te he seguido, conozco tus pasos, tus gustos, los lugares a los que ibas con ese chiquilicuatre.

—¿Le has hecho algo? ¿Sabes algo de él?

—No le he hecho nada, como muchos hombres cuando encuentran una mujer de verdad se asustó. Tú eres una mujer que puede dar miedo. Te vi y supe que merecías la pena. Eres lo único por lo que merecía la pena salir de casa.

—Y tú vas por ahí violando a todas las mujeres que te parecen interesantes.

—Yo no te he violado. Lo que he hecho no es peor que lo que hace la gente de la ciudad. Comprar cosas que no te hacen falta para llenar un agujero que hay dentro de ti, un agujero que es más grande que Norteamérica. En mi caso yo he visto un vacío, un hueco que necesitaba ser llenado. Con el tiempo te alegrarás de haberme conocido.

Selene

El camino era ahora de herradura. A lo largo de él muchedumbres cada vez más numerosas y vociferantes quemaban peleles de paja con falsas tetas de trapo. Los espantajos penduleaban colgados en las ramas de los robles. Los gritos enardecidos pedían que se quemase a la bruja, ahora mismo, aquí mismo, no fuera que otro día tuvieran faena y fuera menester perderse el auto de fe. Selene ya no levantaba la cabeza. Con la cara llena de arañazos y sangre y el vientre lleno de bilis, miraba al suelo de la carreta, un espejo de madera rota que no devolvía ninguna imagen y por eso le permitía imaginar que era otra persona y vivía en otro tiempo.

Aínur

El olor te lleva al pasado. Todavía estoy dormida cuando me llega el olor. Es un tranvía que me lleva al pasado, más deprisa que un cohete al infierno. El pesado aliento del Señor Oscuro sobre mí, un olor a ajo, a tabaco y a alcohol me recuerda el olor de mi jefe, sus manos sobre mí, peludas y finas. Manos pequeñas y barriga grande como embarazado de un monstruo sin nombre.

Quise ser feliz como los demás. O por lo menos cruzar la línea invisible que me separaba de los otros. Me sentía como la cerillera del cuento. Los otros están dentro de la casa viviendo una vida en color, bebiendo y comiendo junto al fuego encendido y yo estoy sola, aquí afuera en un mundo en blanco y negro.

Puedo ver a los demás sólo a través de un vidrio. Separados por una ventana o una pantalla. La del cine, la de la televisión. Pongo mi mano sobre sus caras y no consigo tocar más que el cristal que nos separa. Esto es el frío de las afueras.

Sueño con el calor de la verdadera vida.

Todo lo que quiero es entrar dentro y comer de esa olla humeante que me he cansado de ver sobre la mesa.

Selene

Cuando vi la casa de piedra colgada sobre el precipicio, supe adónde nos estábamos dirigiendo. A las cárceles secretas de la Inquisición, mal llamadas secretas porque todos sabíamos dónde estaban. Ésta era una de las peores, en la casa de un escribano de nombre Lázaro que no resucitaba sino que hacía morir. Engreído y petulante como la mayoría de los familiares de la Inquisición se pavoneaba cada vez que el inquisidor llegaba a la comarca.

Sin embargo, antes de que pudiéramos entrar en la villa llegó un enviado del Santo Oficio ordenándonos que no entráramos en poblado hasta pasada la medianoche. Andaba la gente alborotada y temían un linchamiento. En cada pueblo del camino me habían echado un crimen nuevo a la espalda y ahora no sólo me comía a los niños para usar su tierna grasa sino que los asaba bajo la luna llena en tenebrosas ceremonias presididas por el Diablo. Todos los muertos que no tenían dueño eran ahora míos. Yo pagaría por ellos y por los delitos que no habían sido castigados y por las culpas que uno no se atrevía a confesarse cuando no podía dormir por las noches. Hiciera lo que hiciera ahora yo era la culpable. Lo había visto en los ojos enrojecidos de la turba y en los llantos de los bebés a mi paso. Me echarían la culpa de todo porque a fin de cuentas puede ser que en verdad tuviera la culpa y ni yo misma me diera cuenta.

Ainur

Me entrego al Señor Oscuro una y otra vez. De día y de noche. No sé por qué lo hago. Si brujería es hacer lo contrario de lo que uno quiere, esto es brujería. Me someto a su voluntad. Me repugna y me repugno. Supongo que lo hago porque siempre he pensado que no merezco la felicidad. Él me ha ensuciado, estoy sucia, tanto da dejar que me ensucie del todo. Voy a su casa y él viene a la mía. Nunca digo su nombre y él nunca me llama por el mío. No digo su nombre aunque todo el pueblo conoce el suyo.

Y él me llama Selene.

No sé nada del farero pero sé que en un pueblo tan pequeño todo se sabe.

Por fin, un día él abre el baúl que guarda junto a las flechas con curare, las vírgenes góticas, las tallas de obsidiana y las máscaras, las máscaras más negras que el pecado, oscuras como mis remordimientos.

—Lo que vas a ver hoy no se lo puedes contar a nadie.

—¿No lo puedo contar? ¿No lo puedo escribir? Entonces no supone ninguna ayuda ni para mí ni para mi tesis, lo que no puedo contar no existe, lo que no ha sido dicho no es real.

—No te lo enseño para ayudarte, sino para ayudarme a mí.

Me retuerce la muñeca mientras me tiende un legajo de vitela. Sé lo que es antes de que él me lo diga. Antes de que comience a leer con su voz grave y, sin embargo, hermosa; una voz habituada a los sermones y a los gritos en la selva. Una voz que sólo tartamudea cuando miente o cuando duda. Antes de que me diga: «Esto lo encontré cuando todavía era bueno», mucho antes, ya sé que se trata del proceso de Selene, de sus confesiones, de su voz.

Selene

El verdugo me condujo a empellones hasta un aposento sin ventanas donde me esperaban el padre Carlos, Gaspar de Torre Ciega, un escribiente que debía de estar preparado para tomar mi declaración y un medicastro de tres al cuarto que el Santo Oficio tenía dispuesto para evitar que me fuese al otro mundo, o para ayudar a ello, según el caso.

Lo conocía de las ferias de Medina del Campo pues, por dos maravedíes, prometía devolver la potencia a los maridos añosos y, por otros tantos, hacía concebir a las mal casadas; concebir esperanzas, pues otra cosa no creo, pero la gente era crédula y pagaba y luego, como sucedía con casi todos los médicos con quienes había tratado, tenía dos clases de pacientes y ninguno de ellos había menester de su ciencia: unos sanaban sin necesidad de médico y otros no tenían cura; los primeros quedaban agradecidos y extendían su fama, y los segundos, desde la sepultura, poco daño podían hacer. Determiné no dejar que el presunto médico me pusiese la mano encima, pues yo todavía era ilusa y con saberlo no sabía dónde estaba.

Por cierto que ese medicastro que se llamaba don Miguel de Molina me sangró tanto después de la tortura que me puso más cerca de la muerte que todos los verdugos que conocí en aquellas prisiones.

El Señor Oscuro

El Señor Oscuro también había nacido en el pueblo. Yo no lo sabía porque sólo regresó cuando ya me había ido. Unos decían que había sido jesuita; otros, que misionero comboniano. Había vivido más de veinte años en el Amazonas cerca de Iquitos y luego en Brasil a las orillas del Urururu, el Río Negro. Había heredado una gran fortuna de la que ahora sólo quedaba la casa. El mismo día de la muerte de su madre lo había dado todo a los pobres, o al menos a los pobres que la Iglesia eligiera, y había partido para el seminario con el firme propósito de hacerse misionero. Supongo que soñaba con morir mártir en una leprosería como el padre Damián o con ser atravesado por las flechas de los indios como Álvar Núñez Cabeza de Vaca, porque ésos eran sus sueños cuando partió, sueños de santidad y tierras exóticas, de sacrificio y excitación. Había contado con los mosquitos, pero no con el aburrimiento. Pasó tres años en Lima cuidando de los frailes ancianos de su Orden, antes de que le dejaran partir hacia el Amazonas. Nunca había visto un río así. Era como un mar de lodo y rugía cuando pasaba a tu lado. Pensó que era un león de agua. La corriente arrastraba a su paso animales, piedras y los últimos vestigios de civilización. A los pocos días, descubrió que el río también podía parecer manso. Los indios le dijeron que ése era el momento en que las anacondas te acechaban. Se bañó en sus aguas y pescó pirañas en el agua en la que se había bañado. De noche se sumergía en el croar de las ranas y buscaba en el cielo nuboso la Cruz del Sur. Nunca la encontraba. Quería ayudar a los indios, pero descubrió que todos ellos creían ser blancos. Trabajaban para una compañía japonesa, mataban el bosque de lunes a sábado. Los domingos se mataban entre sí: cuando no lo hacían ellos mismos a navaja, el alcohol acababa con ellos. La vida era dura, pero la tierra era rica. Dejabas caer el corazón de una manzana al suelo y nacía un árbol. Disparabas al aire y caía un pájaro muerto en tu cazuela. Recordaba el Señor Oscuro las montañas cantábricas, la tierra miserable y hermosa que pedía mucho y no daba nada. No comprendía cómo los hombres podían ser tan pobres en un país tan rico. Se enfrentó a las compañías del caucho. Una noche le ataron a unas lianas y fustigaron su piel pálida hasta que se puso azul. Lo dieron por muerto. Yació en el suelo, viendo cómo las arañas y las serpientes se deslizaban sobre él, sin saber si era realidad o delirio. Pensó que ahora los indios lo amarían, que comprenderían que había venido a ayudarlos. Le dieron la espalda. Nadie lo saludaba. Todos murmuraban a su paso. Nadie se volvía a mirarlo mientras caminaba por Iquitos en medio de las jaulas de monos, de los vendedores de sangre de drago y licor de serpiente.

Su fe lo abandonó y entonces comprendió por qué los hombres se gastaban la paga en alcohol, bebían hasta embrutecerse y apostaban en las peleas de gallos, se mojaban las manos en la sangre de los gallos muertos y se partían la cara y el alma a puñetazos. También él comenzó a frecuentar las peleas de gallos y las prostitutas de la ribera que tenían vaginas como bocas de caimán. Iba a ellas porque ellas lo llamaban por su nombre y le hablaban a su dinero como se habla a un señor.

Él había pensado que sería amado por todos, que levantaría una escuela, que crearía un mundo mejor. Nadie iba a su escuela. Le habían amenazado con cerrársela. No hizo falta. No tenía maestros, ni niños, ni fieles y, poco a poco, sólo iba creyendo en el pecado.

Nunca supo lo que hubiera sido de él si el viejo no hubiera venido a verlo.

Una mañana se despertó tan borracho que no podía recordar lo que había hecho la víspera. Olió la podredumbre de la parte baja del río; vio la mancha de su orín en los pantalones y se palpó la brecha en la cabeza. Estaba en una cabaña hecha de trozos de tetrabrik y de hojalata. El tejado de hoja de palma fue lo único que le convenció de que seguía en el Amazonas. El viejo estaba de pie en la puerta. Una silueta oscura que no ocultaba el sol, sino que lo revelaba. Era el viejo Gerardo, del que decían que era chamán; había sido su enemigo declarado cuando predicaba desde el púlpito. Pero tenían algo en común: en aquel lugar sin ley, los dos creían en algo o, por lo menos, el viejo Gerardo seguía creyendo:

—Seguimos naciendo y muriendo, muriendo y naciendo pobres. Tú no has hecho nada por nosotros, gringo. Has hecho algo por tu orgullo.

Gerardo le llevó consigo al interior de la trampa verde llena de pájaros. La noche en la selva era ensordecedora. Se reía cuando recordaba a su madre y sus tías hablando de la paz del campo y la quietud de la naturaleza. La naturaleza no se estaba jamás quieta. Sólo lo muerto y lo hecho por el hombre está quieto. Animales pequeños y grandes se movían por la jungla y la luz era verde y maléfica. Aquella noche, probaron la ayahuasca. Vomitó mucho. Vomitó de sí los recuerdos de la aldea del norte, de su madre autoritaria y enjuta, de su padre que buscaba a los muchachos en los lavabos de la estación; vomitó la elevada opinión que tenía de sí mismo y vomitó sus prejuicios. Buscó la Cruz del Sur en el oscuro cielo y la encontró. Al amanecer, no había visto ni al jaguar, ni al cóndor, pero había dejado de temer a la magia negra. Pasó veinte años más en América y cinco oscuros años en el Congo; conoció profetas verdaderos y falsos y él fue muchas veces falso y verdadero, pero ya nunca más sacerdote.

Unos decían que había tenido hijos con una india, otros decían que había hecho milagros. Consuelo aseguraba que estaba excomulgado. Pero no dejaba de ir a la iglesia las pocas veces que decía misa.

«Puede que ya no sea sacerdote. A la aldea no le importa. Será sacerdote mientras no tengan otro». Al fin y al cabo, ellos son muy devotos de sus tradiciones pero no tanto de la Iglesia de Roma. Saben todo lo que tienen que saber del Señor Oscuro. Lo suficiente para creer en él.

Aunque ya no es sacerdote, para los del pueblo sigue siéndolo. No tienen otro, así que él es el que dice la misa una vez al año por la fiesta del santo patrón o cuando se muere una beata o cuando a alguien se le ha muerto una vaca y quiere decir una misa a las ánimas del purgatorio.

Es curioso, yo escuchaba al farero mientras me hablaba del hombre que no ha llegado a la Luna, de las basuras, de los anónimos, de Selene. Él no encontraba tiempo para escucharme a mí, porque yo no tenía nada que decir.

El Señor Oscuro es detestable, pero me escucha. No encuentro ninguna historia importante que contarle. A pesar de ello, no parece molesto; escucha con atención mis historias sobre juicios y mujeres que ponen multas concentrando en mí sus ojos verdes, como si fuese lo que más le importara en el mundo. Quizá por eso vuelvo a él, cada noche. No para escuchar, sino para que me escuchen.

Selene

Vuesa Merced dice que vio a una señora sentada ante un instrumento extraño o ante un espejo sin reflejo, pero que esa mujer no era la Virgen Nuestra Señora.

—No, Señoría, no llevaba manto, ni ángeles, ni me dio mensaje alguno. Vi a una joven con extrañas vestiduras.

—Pero Vuesa Merced sabe que, si no era la Virgen, sólo podía ser una manifestación del Maligno.

—Señoría, yo no soy religiosa. No tengo facultad para juzgar de lo divino y lo humano. Cuento sólo lo que vi y con la mayor sinceridad posible.

—Eso es cierto —dijo el dominico con placer, calándose los lentes—. Es prueba de buena fe buscar el auxilio de sus mayores. —El dominico se acomodó en el sillón de brocado con gesto de satisfacción y supe que era uno de los raros magistrados que prefieren absolver a condenar.

Me impusieron la obligación de prevenir al Tribunal en cuanto viera de nuevo a aquel espíritu y de conminarle con oraciones a revelarme si era un espíritu santo o un demonio. Aunque les conté la verdad, no les conté toda la verdad, sino que tuve el buen juicio de no decirles nada del parecido asombroso que la mujer de los objetos extraños tenía conmigo.

Cerraba los ojos en la prisión y siempre veía lo mismo. Me veía escribiendo de un modo muy extraño y, cuando me fijaba, me daba cuenta de que no era yo sino alguien muy parecido a mí, con más pelo que yo y con todos los dientes. Pensé que había visto a mi doble y me faltaba poco para morir.

Ainur

Por qué estás obsesionada con la historia de una mujer que no conociste? ¿De una mujer que murió antes de que tú nacieras? ¿Por qué es tan importante para ti? ¿Hay algo oscuro en ti?

El Señor Oscuro y yo pasamos el día leyendo sobre Selene. Él lee todas las notas que yo he escrito; repasa el guión que he hecho para un probable documental. Nos refugiamos en el trabajo, ya que no podemos refugiarnos en el amor. Podría preguntarle qué es lo que a él le interesa de Selene pero no lo hago. Lo que a él le interesa de Selene soy yo.

Me aconseja que traduzca al castellano actual el lenguaje farragoso y la letra picuda de los documentos de los escribanos del siglo XVI. «Debe ser un lenguaje inteligible que tenga resonancias del pasado, pero no debe ser la lengua del pasado. Debe sonar tan natural como cuando Selene y sus jueces le hablaban». Se interesa por mi método de trabajo. Censura, critica, corrige. Revisa todo y lo imprime para mí. Parece fascinado con Selene y con su proceso, pero yo sé que no le importan nada. Para él sólo son un camino. Ni él ni yo sabemos adónde lleva.

Selene

Hubo un momento en que todo aquello me pareció normal. Creí que no había otra vida sino aquélla, que lo que yo creí que era mi vida no era sino un sueño, un espejismo causado por la comida y la bebida de la que ahora carecía. Lo normal era «esto», era mearse de miedo al oír las botas del carcelero y echar de menos la humedad de mis lágrimas porque era lo único bueno y salado que había aquí abajo donde sin lugar a dudas y en contra de lo que decían mis perseguidores estaban los verdaderos dominios del Mal.

Esto es el infierno y los diablos son ellos.

Ellos son los verdaderos enemigos de Dios, los servidores de Satanás.

Ainur

A menudo voy al acantilado. Paso largo rato viendo cómo se estrellan las olas contra el faro y recuerdo mi vida. Con cada ola hay un recuerdo que se estrella contra las rocas y se hace añicos. Recuerdo cómo el alcalde me pedía que le subiera las toallas a la habitación. Siento el aroma del puro de mi presidente y el tacto de sus manazas sobre mi vestido. Trago el sabor metálico de mi propia sangre cuando me mordí la lengua en el juicio.

Y con las olas mansas sin viento vuelvo a viajar a este pueblo y aprendo a conocer el olor del farero. Viajo a la oscuridad con el hombre que vive en la casa donde siempre es de noche. Y las olas siguen rompiendo recuerdos.

Miro las olas como si fueran a contarme por qué cada mañana juro que no veré más al Señor Oscuro y cada noche me encuentro empujando sin querer la cancela de su casa.

Una ola furiosa rompe contra mí y de repente recuerdo las avispas como si no hubiesen pasado treinta años.

Mucho antes de que tuviese recuerdos. Antes de que hubiese algo que recordar estaban las avispas. Yo era un bebé, no conocía el habla, ni la maldad, ni los rostros de las gentes. Comía y dormía intentando con mi llanto dar pruebas de mi inocencia. Las casas en la aldea son grandes y en aquel tiempo aunque un bebé comenzaba ya a ser un bien escaso todavía era algo corriente. Dormía en una cuna de madera medio roída por los ratones que había sido empleada por los niños de la familia desde hacía por lo menos trescientos años. La nube de avispas cayó sobre mí y si mi tía María no hubiera estado cerca, quizá hubiera muerto. Me picaron tanto que no me dio tiempo a llorar, sólo a soltar un grito de agonía más semejante al quejido de un gato salvaje que al de un bebé humano. Luego llegó la fiebre. Mi abuela no tardó en descubrir de dónde venían las avispas.

Al tercer día de fiebre, mientras el bebé flotaba en un limbo en el que sus manos y sus párpados se agitaban como si buscaran gargantas invisibles, cuando los llantos de mi madre podían oírse desde el camino, con los postigos entornados y los ojos de mi madre rojos, no hubo nadie que fuera a abrir a los tres asustados vecinos que llamaban a grandes voces a la puerta. Eran nuestros primos y vecinos de al lado, los Calatravos, venían vestidos con sus mejores galas, las que sólo se ponían para los entierros. Estaba el padre, que era enjuto, alto y tuerto, con un maravilloso ojo de cristal que estoy segura de que hoy en día ha heredado la tendera del pueblo, y los dos hijos, que eran mellizos y exactamente iguales, sólo se les distinguía en que a uno le faltaba la oreja derecha de nacimiento, y el otro no tenía oreja izquierda, pues según me contaron luego, se la había comido una rata cuando era un bebé más pequeño que yo. Los tres llevaban en la mano una cesta con huevos morenos, los mejores, los de la gallina pinta. Como nadie les abría pero la puerta estaba abierta se fueron deslizando hasta donde estaban todas las mujeres rodeando la cuna del bebé como si éste fuera un santo Cristo y la cuna su cruz, y no era para menos porque el bebé, o sea yo, era un bulto hinchado, cosido de cicatrices. Lo que no habían hecho las avispas, lo había hecho la alergia. Igual que sucedió con los discípulos de Jesús, los hombres de la casa no habían podido soportar la agonía y la espera. Mi padre se había ido a partir leña. Más tarde diría que el sufrimiento de aquel día fue tal que se vio obligado a abandonar a mi madre. Las mujeres, mi madre, mi abuela y mi tía estaban allí, llorando bajo y gritando alto y poniéndome en la frente paños con lavanda y anís. Los Calatravos cayeron al suelo y comenzaron a persignarse y a rezar el rosario en voz muy alta. Le tendían la cesta con los huevos a mi abuela como si fuera una ofrenda a la Virgen.

Y comenzaron a llorar mientras explicaban que ellos habían mandado el enjambre de avispas a mi casa, pero que nunca, nunca pretendieron hacer daño a una niña inocente sino que lo que querían era mortificar a mi abuela por bruja, pues la semana anterior se la habían cruzado yendo a la yerba y ella les había saludado con una sonrisa y no habían pasado ni cinco minutos cuando en un recodo de la antigua calzada romana el carro se les entornó y acabó volcando y una de sus mejores vacas tropezó y cayó al barranco arrastrando el carro, su carga y los pocos ahorros que les quedaban a los Calatravos. No dudaron ni un momento que había sido cosa de mi abuela que les habría arrojado un hechizo y decidieron vengarse, pero ahora una criatura inocente iba a morir y ellos arderían en el infierno.

Hay un momento del combate en que ya no sientes los golpes.

Selene

El año en que sobrevivió a la peste había conocido por primera vez la tristeza de estar viva. Una especie de remordimiento cruel por ser capaz de sobrevivir a pesar de todo. Entonces comenzó a sospechar que sobrevivir te convierte en un monstruo.

Después de un mes en la cárcel se sentía algo mucho peor que un monstruo.

Los seres humanos mueren cuando entran aquí. El que sobrevive en estas cárceles se convierte en un engendro. Sus pensamientos la hacían padecer más que la sed, que las humillaciones y el hambre. Hoy lo que la ponía triste era que el testimonio de Casilda y de tantos ciudadanos relatando cómo les había ayudado el año de la peste no sólo no contaba a su favor, sino que había sido anotado como prueba de sus tratos con el Diablo, puesto que el Diablo y no Dios era el que la había ayudado a sanar de una enfermedad que mataba a los justos. Casilda había declarado durante horas, dando cuenta de cada pormenor de su valentía y entrega. Cada uno de sus gestos había sido vuelto del revés como un guante y considerado incriminatorio. Si hasta respirar sería delito si era ella quien lo hacía.

Selene sintió que el ánimo la abandonaba. Su tristeza de aquellos días tenía otro nombre: era cansancio de vivir. No merecía la pena luchar para seguir en un mundo lleno de malvados y mentirosos, que tomaban el nombre de Dios en vano. Se dejó caer sobre el suelo de su celda a esperar la muerte. Entonces, sintió una mano que apretaba la suya. En su delirio pensó que era la de un esqueleto que venía a buscarla. Abrió los ojos y vio los ojos verdes del caballero del rojo gabán clavados en ella. Pensó que la muerte venía a buscarla, con su rostro más halagador, recordándole los pocos momentos memorables que su amiga y compañera la vida le había dado. Oyó su voz, y supo que era él, aunque no pudo imaginar cómo había llegado hasta aquel lugar tan triste.

—Me llamo Samuel. Samuel de la Llave —dijo el caballero del rojo gabán.

Ainur

El lunes es un cuervo estrangulado en el alféizar de una ventana. El martes es un conejo muerto en las gradas de la iglesia. El miércoles un gato colgado de la veleta del campanario. Nos habíamos olvidado de los animales acuchillados, destripados. Animales asesinados por algún loco cuyos propósitos no podemos adivinar. Habían desaparecido de nuestras vidas como desapareció el farero y ahora tan repentinamente como habían cesado las misteriosas muertes vuelven a llamar a nuestra puerta.

Es jueves. Todavía no han encontrado ningún animal. Lo encontrarán, en un huerto, en una casa, en el cementerio. Lo que sea ha vuelto.

Escucho al Señor Oscuro, él comienza a obsesionarse por el tema de los animales muertos. Dice que en el pueblo hablan. De él. De mí.

No comprende que no dedique mis fuerzas a averiguar quién me manda anónimos y asesina bestias.

Quiere que nos olvidemos de Selene e investiguemos lo que pasa, aquí y ahora, en este siglo. En este pueblo que vive en la Edad Media.

Él acusa.
Me acusa.
Él es mi inquisidor.

Selene

Pensé que Dios me había hecho la gracia de no abandonar el mundo sin saber cómo se llamaba mi único amor. Le toqué, le así las vestiduras, me agarré a él como si me estuviera ahogando, hasta que vi que era tan real como podía afirmarse, dadas las circunstancias, puesto que hacía días que yo dudaba de lo real. Él también me tocó y vio que estaba ardiendo de fiebre. Se horrorizó de lo horrible de la estancia, de la ciénaga del suelo, de las ratas que chillaban entre nosotros. Me hizo sentar en el jergón y me acarició los cabellos.

—Por Dios que me avergüenzo de nuestras prisiones.

Al oír esas palabras me di cuenta de que su gabán ya no era rojo. Al contrario, su hábito era gris y áspero como el de un monje.

Él siguió mi mirada.

—Sí, al final me hice sacerdote como querían mis padres y ahora soy inquisidor e instructor en el proceso de muchos pecadores y también en el tuyo.

Supongo que me desvanecí, porque, en mi delirio, creí que me repetía como si fuera la letanía de la salve:

—Soy Samuel de la Llave y ni un momento he dejado de pensar en ti.

Aínur

Tú no ves a las personas, crees que forman parte de la conjura general del mundo contra ti. Un mundo de enemigos sin rostro, los que conoces y los que todavía no conoces pero esperas reconocer. Ciegos ejecutores de tu cansancio de vivir, de tu pereza, de tu falta de suerte, cómplices de la vida y de la mala suerte, esbirros del aburrimiento y la falta de sentido. Crees que eres siempre la víctima, no ves que tú has tirado la piedra y lo que te pasa son las ondas que la piedra deja al caer sobre la superficie aparentemente lisa de la vida. La vida es como el agua, siempre hay algo debajo: un cadáver o una perla creciendo en su concha y más abajo hay otra cosa diferente: un monstruo o una sirena. Tiras la piedra y tocas algo que te estaba esperando. No te equivoques, tú no eres la víctima, tú has tirado la piedra.

El Señor Oscuro

El Señor Oscuro me dijo que había vivido con unos indios, los senoi, una tribu que desconocía la violencia y la enfermedad. Los senoi regían su vida por sus sueños y aplicaban sus sueños a mejorar su vida. Cada mañana cada individuo contaba a la madre de familia lo que había soñado y una vez al día las distintas familias se reunían para examinar los sueños de la comunidad bajo la dirección de la bruja madre. Le dije que los senoi eran el pueblo del psicoanálisis, el sueño de Freud en medio de la selva. Él me convenció para que le contara mis sueños sobre Selene. Después de aquel primer sueño sobre ella me convenció para que al irme a dormir pensara en todos los documentos que habíamos leído, en todo lo que sabía sobre ella para que ella acudiera a mis sueños.

Selene

Desperté y vi que habían limpiado mi celda y que estaba acostada en un jergón revestido con sayas verdes y azules remendadas, pero limpias. A mi lado estaba el malhadado cirujano que luego tuve tanta oportunidad y tan mala de tratar y conocer. Había terminado de sangrarme y parecía que se relamía con mi sangre, como las garrapatas.

—El inquisidor ha dado orden de que te tratemos bien y te conservemos con vida. Y a fe mía que te cuidaré como si yo mismo fuera el fuego que ha de consumirte.

—¿El inquisidor? —repetí yo como en un sueño y pedí agua.

No me la dio, pero fue como si me la diera cuando respondió:

—El inquisidor don Samuel de la Llave, que a pesar de su juventud tiene fama de justo juez y erudito en leyes y oraciones.

Aun en la peor de las prisiones puede siempre suceder algo bueno, porque, al día siguiente, cuando la fiebre hubo cesado un poco, vi que había un papelillo en el cántaro que me servía de vaciadero. Era un mensaje de Samuel y pronto logré contestarle escribiendo en los papelillos que envolvían las especias que me daban para guisar. Escribía con un betún hecho con carbón y aceite.

Nuestros mensajes transformaron la prisión en paraíso.

Aínur

O sea, que el relato en tercera persona es lo que tú narras a partir de los documentos. ¿Y el relato en primera?

—Es la voz de Selene. Llevaba un diario, fue descubierto y sirvió de prueba en su juicio. Además estaban los mensajes. Mensajes a un amante desconocido. Los escribió en los papeles que el carcelero le entregaba para liar las especias de la comida. Fabricó una tinta con carbón machacado e impregnado en aceite y utilizó como pluma los mimbres de la cesta en la que le mandaban los alimentos. Los dejaba en diversos lugares del vaciadero del castillo. Los ocultaba en cántaros quebrados y en el interior de las cañas de aquel lugar oscuro e insalubre en las tripas de la enorme cárcel secreta de la Inquisición. Arriesgaba su vida para contar su historia, quizá porque sabía que su vida estaba perdida. Vivir para contar es como vivir para hablar. Sin embargo, a los perdedores, a los que sentimos que estamos malditos, nos queda sólo el derecho de contar nuestra historia para que alguien nos redima, en otro lugar o en otro tiempo; que alguien nos escuche y le parezcan barbaridades lo que ahora se tiene como cierto. Esto es lo que dice Selene y sigue siendo verdadero. Cuando lo leo, siento como si su voz me susurrara en el oído, como si lo hubiera escrito para mí. Sólo para mí.

Llevo tres días revisando con él los diarios del proceso y escribiendo de noche y de día, con las ventanas cerradas, sin comer más que un poco de queso y el pan duro que queda en las alacenas. Escribo, escribo. Los últimos momentos de Selene. He escrito veintisiete páginas en estos días, me duelen los ojos y las muñecas. Y, de repente, cuando voy a guardar el documento por seguridad, una vez más, el cursor se queda inmóvil, paralizado: no puedo ir ni hacia delante ni hacia atrás, como si esto no fuera un documento sino la vida real, mi vida en este momento. El dinosaurio que aparece para revelar la brujería de Bill Gates, el que dicen que usa el número de la Bestia, se ha vuelto amarillo. Soy incapaz de guardar el documento, incapaz de salir de él. Temo perder los cambios, perder mi trabajo de estos tres días, los días finales de Selene. Llamo al Señor Oscuro que dormita en el otro cuarto. Lo intentamos todo. Las palabras se han quedado varadas, prisioneras en el ordenador. ¡Bienaventurado Cervantes que escribía a mano! Siempre he sabido que las máquinas no son los esclavos del hombre sino sus amos. Me inclino ante el amo computadora. Es un amo inclemente. Estamos prisioneros, no se mueve ni una palabra. Inmóviles las consonantes, impasibles las vocales. Las palabras se han quedado encadenadas en el bosque de los signos. Al final, mesándonos los cabellos apagamos el ordenador, huimos del bosque sagrado y maldito. Cuando vuelvo a encenderlo, es como si nada hubiera sucedido: las palabras brotan bajo mi mano, pero el documento con el desenlace de Selene ha desaparecido.

Me desespero, tengo hambre y sueño. No es justo. Nada es justo. Tampoco lo fue para la comadrona del pasado, ella buscaba la verdad. Yo busco las palabras que encontré. Rehago mis notas sobre Selene, escribo acerca de lo que ella escribió en las prisiones secretas aquellos días calurosos de agosto hace siglos o minutos. Esta vez he insertado un lápiz electrónico. Es como violar la vagina del ordenador con un pene digital. La computadora no gime sino que obedece. En apariencia. Porque de repente aparece un mensaje gris y todo el documento se convierte en unos misteriosos cuadrados como preguntas de álgebra o de la cábala. Entonces grito.

Selene

Cuando sintió los primeros dolores, Selene gritó. No gritaba de dolor sino para atraer la atención de sus carceleros. Podía soportar el tormento pero no la incertidumbre. Nunca en su vida había tenido tanto miedo. El suelo de la celda estaba encharcado, lleno de orines, las ratas corrían libremente por él. Si daba a luz allí sería difícil que el niño y ella sobrevivieran. Siguió gritando a medida que su vientre se movía como un barco a punto de zozobrar. Pasaron las horas. Se quedó ronca de tanto gritar. Nadie vino.

Al caer la noche, el carcelero llegó como todos los días a dejarle en el suelo su ración y la encontró doblada en dos por los dolores que ahora eran como un terremoto.

—Pide ayuda al diablo que te ha preñado.

—No ha sido el Diablo.

Ahora que el carcelero la había visto, había alguna posibilidad de que viniera alguien, de que viniera él. La noche fue larga. La sed y el miedo la atormentaban, tanto como aquellos dolores rítmicos. Eran como una marea, como las olas, entre una ola y otra dio gracias a Dios por conocer el nombre del padre de su hijo, por tener la fortuna de no haberse quedado embarazada de un familiar de la Inquisición o del gigante tuerto que tanto la había atormentado en aquellas prisiones. Había intentado conseguir ruda pero desde su aislamiento le había sido difícil.

—¡Oh, Señor, haz que llegue Samuel!

Sabía que era imposible, que un inquisidor no puede asistir al parto de una prisionera, pero la cabeza le flotaba en la desesperación. El dolor era ahora como un mar, se ahogaba en él. Deseó morir. Morir y acabar con aquella agonía.

Había atendido cientos de partos y ahora estaba sola. Había socorrido a tantas y no sabía cómo socorrerse a sí misma. Dio un alarido y se cogió una muñeca con la otra. Su mano derecha tenía que asistir a la izquierda. Palpó la cabeza del bebé. Gracias a Dios no venía de nalgas ni tenía vuelta de cordón. Le subió a los labios un vómito negro. Estaba vomitando sangre. No tenía con qué cubrir a su hijo. Gritó otra vez el nombre de Samuel. Moriría gritando su nombre.

Hasta el último momento Selene no aceptó que el padre de su hijo no estaría con ella. Que moriría sola.

—Samuel, Samuel, ¿por qué me has abandonado?

Ainur

Se salvaron Selene y su hijo?

—Su hija, porque fue una niña. Dicen que sí, que el bebé nació vivo. En cuanto a Selene tuvo que sobrevivir para ser llevada a la hoguera.

—¿Qué fue de la niña?

—Se la entregaron a las monjas clarisas, las del convento en ruinas a la entrada del pueblo. Dicen que Samuel de la Llave la raptó el día en que Selene ascendió a los cielos.

—Una leyenda.

—Una forma de ocultar la verdad para decirla.

Aínur

Parece cosa de brujas —dice el Señor Oscuro sin inmutarse. Lleva puestas sus gafas negras pese a lo avanzado de la noche y, a pesar del calor, no suelta su largo abrigo de cuero negro, pasado de moda como todo lo que hay en esta casa.

No sonrío. He agotado mis últimas fuerzas tratando de rehacer lo hecho y ya no tengo más. No terminaré la historia de Selene. Quedará inacabada, total, a quién le importa.

Desde luego, no a mí, perseguida por unos matones a sueldo que tratan de castigarme por decir la verdad. Con tanto miedo a estar sola que vivo con un vampiro del tiempo en un mundo en el que siempre es de noche. Desde luego no debe importarme mucho el destino de una mujer que murió cuatrocientos años antes de que yo naciera.

Pero me importa.

—No quiere que conozcas el final. Todavía no —dice el Señor Oscuro y da un puntapié al gato negro que, como cada noche, se le arrima cariñoso—. Antes deben ocurrir muchas cosas.

Declaración de Miguel de los Ríos, mayordomo y alcaide de las cárceles secretas.

Manifestó que ayer lunes diez del dicho mes, entrando en el cuarto que llaman del vertedero donde está la fuente, reparó que la susodicha Selene, que había entrado antes a llevar agua a su prisión, dejó con disimulo detrás de un cántaro quebrado que estaba en el rincón debajo de la ventana unos papelillos que este declarante levantó y reconoció ser los papeles en que se daba las especias con que se guisaba y en ellos había escrito con un betum que hizo con unos polvos al parecer hechos con carbón y azeyte y en dichos tres papeles:

«Querido mío, ruega a Dios que me quite la vida por su mano porque claro está que tienen intención de abrasarme para acabar con mi honrado comercio y con mi ciencia. Y no sólo con la mía sino con la de todas las que son como yo.

Ven, necesito verte, si no te veo no hará falta que me quiten la vida. Me moriré yo sola de añoranza de ti».

Ante este hallazgo como mayordomo ordené yo que se repusiera el dicho papel a su sitio y se le pusiera estricta vigilancia para saber quién era el destinatario del mensaje. Así se hizo y aunque no se vio bajar ni subir a nadie, al otro día se encontró un papel que decía:

«Amor mío, ni hoy ni mañana podré bajar a verte. Es preciso que cejes en tus negativas y admitas tu culpa. No caigas en la soberbia que es el peor de los pecados, reconoce que has usado la brujería, muestra arrepentimiento y pide perdón y yo lograré que te reconcilien y perdonen y te acojan en el seno de la Santa Madre Iglesia y como mucho te impongan el sambenito. Te lo suplico por nuestro amor y por la misericordia de Nuestro Señor Jesucristo».

Y al otro día encontramos en el vaciadero en el mismo cántaro de siempre este mensaje:

«No puedo confesar lo que no he hecho, yo no soy bruja sino sanadora, uso la ciencia que aprendí por la gracia de Dios para sanar los cuerpos y las almas, si confesase algo que no es cierto mentiría y si miento para salvar mi vida sería vil. Además, amor mío, después de los abusos y las torturas ya no me queda nada que pueda llamar vida. Me han robado, a mi hija y mi dignidad. Apenas me puedo sostener en pie. Esto no es vida sino un simulacro. Mejor decir la verdad y afrontar mi destino».

Al cual no tardó en responder el misterioso destinatario con este otro:

«Selene, te lo suplico, reflexiona, confiesa, arrepiéntete y pide perdón. Yo rezo por nosotros día y noche para que la Virgen

santa nos socorra. Me muero de ansias por verte, pero las sospechas se ciernen sobre mí. Mi actitud favorable a tu causa no ha pasado inadvertida. No confío ni siquiera en la seguridad de estos correos. Que Dios nos perdone. Amén».

Ante este hallazgo crecieron nuestras sospechas, a pesar de lo cual y carentes de indicios suficientes no nos quedaba más que esperar. De este modo a la hora de la limpieza encontramos en el cuarto de la bruja un papel detrás de un cántaro envuelto en un pedazo de saya bermellón en la que había escrito:

«Yo ya he reflexionado. Lo que era menester hacer ha sido hecho, lo que tenía que pensar lo he pensado. Lo que había de decidir decidido está, ahora te toca a ti ver si eres capaz de hacer tu parte».

No hubo más mensajes. Por todo ello acudimos al inquisidor don Samuel de la Llave al cual dimos cuenta de los mismos. Palideció, hizo la señal de la cruz, tomó asiento. Después de estas diligencias dijo que era cosa del Diablo y tornó a santiguarse. Ya entonces me pareció su conducta sospechosa por lo cual recomendé que le asistiera en el proceso y sentencia de la dicha Selene un inquisidor de más edad y juicio. Con este propósito escribí a la Suprema, la cual tuvo a bien favorecerme con el envío del afamado don Prudencio Villarroel, martillo de herejes y orgullo de este Tribunal.

Ainur

Para conocer la historia de Selene debes resolver un acertijo del que todavía no conoces la pregunta». El Señor Oscuro lo ha dicho como una sentencia y ha salido a la luna, se ha perdido por el sendero que lleva a los acantilados.

Nunca sé cuándo tomarlo en serio, porque ¿cómo puedo saber la respuesta de una adivinanza de la que no conozco la pregunta?

Ése es el misterio, ha dicho y si no...

—Deja esa historia, no sirve de nada, renuncia a escribirla. Una fulana que ha muerto hace siglos no puede ser más importante que tu vida. No debes permitir que sea más importante que tu vida.

Las palabras del Señor Oscuro retumban en mi cabeza, rebotan y encuentran ecos que no espero, porque ahora es mi propia voz la que me traiciona.

Sí,

no,

sí,

no sé,

sé que debo escribirla, que si logro saber lo que le sucedió a ella de alguna forma sabré lo que me pasa a mí. Si acabo mi tesis, seré capaz de vencer al alcalde. Si acabo de escribir la historia de Selene, habré por fin acabado algo de lo que empecé. Desde niña he hecho apuestas con la vida y la vida las ha cumplido siempre. Me decía: «Si llego en cinco minutos a la curva, pasará el autobús», y pasaba. Pensaba: «Si cocino para mi madre, me dará un beso el niño que me gusta». Y me lo daba. Ahora sé que tengo que saber la verdad sobre Selene para saber la verdad sobre mí. Tengo que parar mi vida. No puede ser que atraiga las persecuciones y que no haya nada malo en mí; no puedo quedarme sentada de brazos cruzados mientras me insultan, tengo que hacer algo.

Ainur

Abro de nuevo el ordenador y escribo:

Escribir una tesis es traducir el lenguaje del siglo XVI al lenguaje que hablamos y entendemos hoy en día. Es darle voz a la bruja, su propia voz, que suene a su época pero con palabras de hoy. Escribir es traducir. Escribir una tesis es citar. Autores que citan a autores para que les citen. Escribir, investigar y esperar que te citen a ti.

Las tesis son libros de citas. La originalidad, que tan importante es en la creación, mata la Historia. El historiador no trata de ser original sino de copiar bien y citar bien. Claro que del mismo modo que el buen escritor nunca es en verdad original, el buen historiador siempre tiene un toque de originalidad, una mirada diferente, una explicación distinta a los autores anteriores.

Y no sucede nada, el documento no se borra ni se transforma. La magia me ha abandonado, al menos por hoy. Y sigo escribiendo mientras Satán se tiende a mis pies y el Señor Oscuro besa mi cuello y pienso que, si soy capaz de escribir esta historia, el alcalde no me alcanzará, me salvaré y encontraré algún modo de seguir viviendo.

Selene

Cuando comprendí que no saldría viva de estos lugares, que no podría vencer a mis enemigos en vida, rogué a Samuel que ya que no podía salvarme me dejara elegir el día de mi ejecución y me procurara todo lo necesario. Empleé todos los papelillos que me quedaban en explicar en detalle todo lo que era menester y cómo debía ser hecho. Le dije también dónde estaban ocultas las monedas de oro en mi casa que el Santo Oficio había registrado una y otra vez sin éxito, pues sin duda quedarse con mis bienes había sido uno de los propósitos del proceso. Ahora me exigían quince ducados para pagar la leña y los gastos de mi ejecución, lo cual, si no fuera ridículo, hubiera sido un robo. Mi dinero, el dinero de las almas que se habían curado y los cuerpos que eran salvos sería para conseguir cincoenrama, adormidera, y los demás preciosos componentes que necesitábamos. El resto sería para mi hija. No dejé nada para el entierro. Del boato de mi pira funeraria ya se encargaba la Santa Madre Iglesia.

Aínur

El proceso de Selene quiso ser ejemplar y dicen que de él se copiaron casi todos los otros que se hicieron a este lado de los Pirineos. Hasta el final le decían que se arrepintiera, que se reconciliara y reconociera sus errores, aceptando la penitencia que le fuera impuesta para evitar la hoguera pero ella seguía manteniendo que era inocente aunque fuera maldita y decir la verdad le acarreara el fuego.

Selene

Quemadlos a todos, que Dios reconocerá a los suyos.

Eso es lo que ha dicho el gran inquisidor, el que han mandado de la Suprema de Madrid a vigilarme. Cuando le he contado que tienes fama de santa porque arriesgaste tu vida para salvar a los apestados, cuando los clérigos huían como ratas me ha repetido: «Puede que sea inocente, si lo es, Dios la recompensará y si no la castigará. Yo no puedo hacer más porque soy sólo un hombre».

Samuel habla y habla. Quiere hacer ruido para que yo no piense, para que olvide a nuestra hija sin padres y no piense en la tortura ni en la injusticia.

Unos días insiste en que confiese que soy culpable para pedir clemencia y otros me propone que escapemos.

—¿Adónde? —le digo—. ¿Acaso existe un lugar donde no haya perseguidos?

—Si confiesas que eres bruja habrá alguna probabilidad de que te reconcilien y si no al menos te estrangularán antes de quemarte.

—¡Pobre consuelo para el pecado de mentir! Si confieso que soy bruja no sólo miento, les doy la razón y no la tienen.

Así llevamos muchos días desde que todo está perdido y él ha vuelto a visitarme.

Desde que sabemos que me han condenado él baja todas las tardes con la excusa de pintar mi retrato. No me deja ver el lienzo. Dice que no se lo deja ver a nadie. Pero hoy me lo enseña. Hoy sé que es el último día. Samuel de la Llave me ha pintado como la Magdalena Penitente. No ha pintado los muros de la celda ni las chinches sino unos altos árboles italianos que ni él ni yo hemos visto nunca. Aquí estoy presa, en el lienzo soy libre. En el cuadro visto ropas pesadas, encajes y brocados. En la realidad estoy sucia y ajada, rotas mis ropas. Samuel no se atreve a traerme otras mejores por temor a levantar más sospechas. La pintura ha dicho que la hace porque me encuentra muy débil y quizá sea menester quemarme en efigie. Esta efigie del lienzo es más inocente que yo pero se me parece. Samuel me ha pintado con un halo en la cabeza.

—Has pintado a una bruja como una santa.

—No veo la diferencia, si eres tú.

Entonces veo que no puede soportarlo. Yo no puedo más. No puedo dejar que vea mi miedo, mi desesperación.

—Prométeme que harás lo que te diga. Verterás los polvos en los pozos. Y me conseguirás la adormidera para vencer al fuego.

Él lo promete. Me jura que huirá con la niña, a donde nadie les conozca y no quemen herejes.

—No quiero ir al cielo si tú no estás —me dice. Y le acaricio los cabellos, le consuelo de mi muerte.

Después, un día desaparece. Me dicen que no volveré a verlo, me dicen que me arrepienta de mis pecados, pero yo he dejado de temer a la muerte.

Ainur

El Señor Oscuro dice que algunos libros cambian el mundo. La mayoría cambian la vida del que los escribe y los buenos libros pueden cambiar la vida del que los lee. Los libros que cambian el mundo son peligrosos. El Corán llevó a la Guerra Santa y la Biblia condujo la vida de millones de personas. Él cree que no estamos en un siglo para libros, cree que los libros se convertirán en una religión secreta para los muy pocos oficiada en cuevas mágicas llenas de libros, que hoy todavía se conocen como librerías, por sacerdotes místicos llamados libreros. Nosotros, dice, no lo veremos pero será así. Mientras tanto debemos llegar a los muchos. Nadie va a leer tu tesis doctoral y lo que nadie sabe no cambia nada.

El Señor Oscuro me ha convencido de que me concentre en preparar un documental sobre Selene y los miles de mujeres malditas, cuyos bienes fueron expropiados, cuyos cuerpos fueron torturados.

Mujeres que murieron por ser mujeres y a las que todos llamaron brujas.

Selene

Estoy postrada en el mismo jergón del que no me he levantado después de la tortura, convencida de que este cuerpo roto y maltrecho ya no vale la pena. Desde que sé que me han condenado sólo me preocupa terminar esta carta, la carta de una maldita que espera que algún día se acaben los malditos, que las mujeres de alguna manera seamos capaces de pactar con un diablo que nos dé el poder de ser libres, de volar por los aires sin pedir permiso a clérigos ni maridos, de salir y entrar sin necesidad de ser invisibles, de curar sin miedo, juzgar con causa y parir sin dolor y todas esas otras cosas que dicen que el Diablo nos ha dado y que espero nos dé Dios, y si así no fuere ruego que este bebedizo redima a este pueblo envidioso y pecador y demuestre a los mal llamados médicos que las mujeres podemos saber de alquimia, al menos tanto como cualquiera que haya nacido varón. Dejaré recado escrito a mi hija de dónde queda escondido y espero que ella se lo diga a la suya, y pondré la fórmula a buen recaudo, a salvo del miedo y del fuego. No temo a la muerte pero temo al dolor, el dolor contra el que he luchado toda mi vida y que ahora se venga de mí. Con la gracia de Dios y la de mi inteligencia cuando vengan a buscarme yo no estaré allí. Desde el otro lado del fuego me reiré de mis enemigos y mis carçajadas pararán el tiempo.

Ainur

El día del juicio me paré a tomar un café con leche cerca de los juzgados. Era temprano y un día que comienza sin café casi no es un día. Además, yo no existo antes de las doce de la mañana, sólo soy un fantasma que podría llamarse de cualquier otra manera y hacer cualquier otra cosa. Ainur sale de las sombras cuando el sol se hace un poco más fuerte, o la niebla o la lluvia, o lo que sea, lo arrasan. Un poco más tarde, cuando el día ya se ha aprendido su nombre. O, si no, por lo menos necesita un bebedizo que la haga salir de la no existencia. El más barato y fácil de conseguir es el café. Pero ya no se encuentran cafés como antes ni siquiera en España, ni siquiera en Barcelona. Y por eso yo iba a aquel bar, aunque el suelo estuviese lleno de papeles y servilletas de papel sin doblar, de palillos y de huesos de aceitunas, aunque el bar oliese a aceite muchas veces frito y la sonrisa de su dueño y único camarero lo fuera de dientes amarillentos que ni siquiera se alegran cuando sonríen. El juicio había durado tanto tiempo que conocía de memoria aquel café. Su grasa y sus vasos limpios, pero ajados por el agua demasiado caliente, me resultaban reconfortantes, eran un asidero en la pesadilla de los periódicos y de los tribunales. Ese día me fijé en unas mujeres que tomaban café a pocos pasos de mí. No me llamaron la atención por ser mujeres en aquel antro de braguetas y cigarrillos en el que raramente se veían mujeres ni cigarros habanos. Ni me fijé en ellas por sus chaquetas verde reflectante sino que fue la más alta, la que tenía la voz más estridente, la que me golpeó con lo chirriante de sus protestas ante el precio del café: «Adónde vamos a ir a parar con el euro». Tenía la nariz aguileña y llevaba un extraño artilugio en la oreja, parecía un amuleto malvado y tardé mucho en darme cuenta de que era el pinganillo de un móvil, el *bluetooth* que no era *blue* ni azul sino una especie de garra de buitre sobre la cara de la mujer. Comprendí que sus gritos no se dirigían a mí, ni al tabernero ni a la mañana gris y sucia ni a los juzgados que no se hallaban lejos sino que, a través de aquel infernal aparato que llevaba colgando se teletransportaban a alguna oreja inocente que estaba lejos de la grasa, de la niebla, de la triste mañana pero que se sometía a todo eso y mucho más a través del pinganillo y de los malvados poderes de aquella mujer.

Cuando finalmente pagó y se fue, azuzada por los dientes amarillos del tabernero que esa mañana no sonreía, los dientes volvieron a curvarse con su mueca más amable:

—Es una bruja.

Le pregunté por qué.

—Todas ellas lo son. Trabajan para la ORA. Se pasan el día poniendo multas a pobres desgraciados que se detienen cinco minutos de más en saborear su café o en abrocharle el mandilón al niño y encima están orgullosas de ello.

En otro tiempo la gente las hubiera quemado en una plaza pública.

Recordé el ingente montón de multas que tenía en casa, recordé las incesantes carreras para reponer el tique; aquella forma de esclavitud medieval que demostraba que ya no era cierto que el aire de la ciudad diera libertad, y sobre todo la mujer cuervo me recordó a Selene, la bruja más importante de mi vida, la del fallido proceso y la fallida tesis y supe lo que haría con la indemnización si, después de todo, acababa ganando el juicio.

—¿Por eso huiste de Barcelona? —mienta el Señor Oscuro, como si supiese el final de la historia.

Y yo tampoco le cuento la verdad, no le cuento que nunca lo hubiera hecho, nunca hubiese huido de Barcelona si no hubiera sido por el anónimo. Porque mi abuela tenía razón, no me atrevo a vivir más que en los libros. En la realidad me da tanto miedo cumplir mis sueños como enfrentarme a mis pesadillas.

Selene

Pensaba que no volvería a ver a Samuel. La última noche antes de la ejecución se abrió la puerta de la celda y vi entrar a un fraile dominico. La capucha le cubría la cara, su voz era ruda, su andar el de un borracho. Agitó una gran cruz como si fuera un látigo. Yo le escupí y me quedé quieta esperando el castigo. No quería saber nada de los que fingían ser hombres y eran bestias. Dejó caer la capucha y vi a Samuel, como una aparición: más delgado, consumidos sus ojos por raíces rojas. Se arrodilló junto a mí.

—Sabía que vendrías —le dije, pero no era cierto, había pensado hasta el último minuto que moriría sola, que no volvería a verlo.

—Les he convencido de que yo te convencería para confesar tus pecados y admitir tus culpas. Yo mismo no puedo permitir que mueras sin confesión. —Su voz se quebró—. No puedo permitir que mueras.

Nos quedamos quietos como árboles, juntos, muy juntos, buscando echar raíces y huir a través del suelo.

—¿No hay ninguna esperanza de escapar? —le pregunté.

—Sólo un milagro —sollozó Samuel—. He implorado en vano que te reconcilien; si no fueras tan testaruda, habrías confesado que eres bruja. Te quebraron la muñeca en el potro y ni siquiera así confesaste. Ante esto, para ellos fue claro que Lucifer te ayuda.

—No puedo confesar lo que no he hecho, y de todas formas no te equivoques, ellos han confiscado mis bienes; haga lo que haga me abrasarán.

—No importa, podrían imponerte el sambenito, confiscación de bienes, el destierro, no la muerte, no una muerte tan terrible.

—Si haces lo que te digo, si no me abandonas y me consigues esta noche las hierbas que te he explicado. Si haces todo lo que te digo y como lo digo y luego huyes con nuestra hija, no viviré pero triunfaré sobre mis enemigos.

Ainur

No quiero contarle todo. Lucho contra el deseo de contárselo todo a alguien. Aunque él fuera el único capaz de escucharme, no debo revelarle todo. Pienso que, mientras tenga algún secreto para él, no seré verdaderamente suya; mientras sea capaz de ocultarle aunque sea un fragmento de mi mente, no habré renunciado a esperar el regreso del farero.

Tardé mucho tiempo en darme cuenta de que nunca había visto dormir al Señor Oscuro.
Tampoco le pregunté nunca su nombre.
No hacía falta.

Nadie sabía decirme qué había sido del farero. Tan misteriosamente como había llegado Magic había desaparecido del pueblo. Pregunté a todos y ni siquiera Consuelo, que lo sabía todo de todos, sabía nada de él.

El viento
el viento, el viento,
de los muertos, el aliento.

Eso cantaba mi abuela.

El viento en los árboles del huerto.

El viento llegó con la luna llena y se llevó todas las nubes. Ahora las nubes estaban más allá de las montañas en un lugar donde nunca podría alcanzarlas. Habían dejado algunos jirones enganchados en los tejados de pizarra. La mayoría de las nubes parecían haber caído al mar. A la luz de la luna, el mar era plata y estaba lleno de nubes enfadadas. Los árboles azotaban las ventanas y una garduña se comía el corazón del viento en el tejado. Un monstruo arañaba la casa que rechinaba y gemía como una doncella el día de su boda, sólo que hacía mucho que en el pueblo no había doncellas ni bodas, demasiado tiempo desde la última vez que se oyó el llanto de un bebé y desde que dejaron de temer al viento.

Ahora todos en el pueblo sabían que, cualquier día, llegaría un vendaval y se llevaría las casuchas; se llevaría a las personas; se llevaría hasta los letreros con el nombre del pueblo. Acabarían todos al otro lado de las montañas y de ellos sólo quedarían unas motas de polvo en el mar plateado como si fueran signos de interrogación o como si fuesen lágrimas. O, a lo mejor, no quedaba ni eso. Lo más seguro era que no quedase nada. El viento se llevaría las lágrimas; espantaría las risas igual que se había llevado los gritos de los niños y las toses de los moribundos y, al final, ni siquiera podría oírse a la curuxa cantándole a un muerto.

El siniestro lleva una larga capa oscura y tiene el pelo largo y completamente blanco. No sé dónde encuentra esa ropa de siniestro que es oscura y babosa y parece haber salido de un ataúd, sobre todo porque está sucia de barro y tierra, como la ropa de Drácula si fuese de verdad. Pero Drácula no es de verdad y este pibe sí, viste, dice mi amigo.

El siniestro no parece de verdad, sin embargo empuja una silla de ruedas auténtica. Una de las sillas de ruedas más caras del mercado y en la silla no lleva un ápice de realidad, lleva una muñeca siniestra: sin manos, sin piernas, con ojos exageradamente pintados de negro, con pelo negro como un cuervo. Es el siniestro el que la ayuda a maquillarse, el que se la tira. El siniestro se llama Gago. De día se pone el amable uniforme de cartero rural, de noche se viste de siniestro. Conduce el Land Rover que lleva a los vecinos por la pista hasta la carretera asfaltada donde puede pasar un autobús. Es el único que sale del pueblo todas las semanas. Consuelo me ha contado que, hasta que tuvieron el accidente y su esposa quedó paralítica, no se les había ocurrido vestirse así, o quizá no se hubieran atrevido. El pueblo ahora les perdona todo. Por la desgracia, dice Consuelo, bastante desgracia tienen, que vistan como quieran. Se ve que el pueblo es compasivo con las desgracias físicas. Con las heridas invisibles no tienen piedad. Si los siniestros vivieran en el tiempo de Selene hace tiempo que hubieran acabado en la horca o en la hoguera, les habrían sometido a suplicio y si no había verdugo disponible hubiesen buscado a uno de un pueblo lejano que no les conociera y lo peor de todo es que quizá les hubiera gustado, quizá incluso hubiesen dejado de ser siniestros para ser felices.

Consuelo

Yo no digo ni que sí ni que no. Ya saben ustedes que no soy de las que aventuran opiniones. Yo sé lo que sé y he visto lo que he visto. Primero fueron los animales muertos. Una rata en la iglesia. ¡Ave María Santísima! Una rata. Luego el caballo de Simón, después los conejos, los gatos, los perros... Ya hemos perdido la cuenta. Más tarde empezaron los anónimos. Ahora han vuelto a bajar los lobos. Los lobos que no habíamos visto desde antes de la guerra. ¿Qué más necesitan para creerme? Todo empezó cuando vino ella. La pelirroja esa del demonio. Es una bruja. Está maldita. Y ha traído la maldición a este pueblo.

Si no tuviera poderes extraños, cómo iba una flacucha miserable a conseguir en un mes a los dos únicos hombres interesantes de este pueblo. Ni la hubieran mirado. Y el pobre farero ha desaparecido. Lo habrá matado o algo peor. Yo les digo que los tiene embrujados. Que nos tiene embrujados.

Ainur

El cartero siniestro que de día es simpático y jovial y usa un encendedor de yesca me llevó en su furgoneta hasta el autobús de línea. A pesar de que no llevo equipaje me desea buena suerte como si me marchara para siempre.

Le entiendo. Éste no es un lugar donde la gente va y viene. Por unos días, por unas semanas. Aquí la gente vuelve para quedarse o se marcha para nunca volver.

Sin embargo yo sólo quería poner unos días entre mí y el Señor Oscuro. Me animaba no sólo la fútil esperanza de hallar la pista definitiva sobre Selene, sino el deseo de saber algo del farero. Tenía la dirección de sus padres en la ciudad.

Ser vigilante de seguridad es sentirte un policía que no ha tenido que pasar por la Academia, sentirte un policía sin jefes. Un pobre diablo. Quizá. Pero con derecho a toserle a todo el mundo. En los campos de concentración ya se vio el efecto que sobre seres considerados normales y aun elogiados con el apelativo de personas tuvo el uso del uniforme. El vigilante es un ente que no quiere cuestionarse nada. El estudiante está en una época de su vida en la que tiene prácticamente la obligación de cuestionarse todo. Ser estudiante se ha convertido en un título desde Mayo del 68 y hasta Tiananmen, no importa que se estudie mucho o poco y que se aprenda poco o nada. El estudiante estudia o hace que estudia. En el caso del estudiante lo importante es qué estudia. En el caso del vigilante lo importante no es que vigile ni que descubra sino que demuestre todo el rato que lo está haciendo. Su labor no es vigilar sino hacer ver que vigila, molestando a los débiles, importunando a los fuertes y poniendo de manifiesto a todos que está ahí. De ahí el mal humor proverbial del vigilante jurado. El policía podrá sonreírte, el vigilante no. El vigilante trabaja para una empresa de trabajo temporal y sabe que es un pringado. El vigilante de una biblioteca se cree mejor que los estudiantes que van a esa biblioteca, por eso el vigilante se cree en la obligación de mirar mal a todos y cada uno de los que allí entran. Culpables de leer, tan culpables como él lo es de que le paguen para estar sentado vigilándolos. El vigilante podría ser amable, pero no conviene. Es un perro que cree que sus amos sólo le tiran pan si lo oyen ladrar. Cuanto más inútil cree su tarea el vigilante, con más ahínco la desempeña, porque el vigilante sabe que su trabajo es el trabajo del futuro. No tener idea de nada y vigilar a todos. El futuro no es del Gran Hermano sino del Hermano Pequeño, el que se chiva a los padres. El acusica. El guardia de seguridad se sabe miembro de una secta elegida, sin estudios pero elegida, sin educación pero elegida. El mundo es suyo, sólo tiene que esperar. Te dice que leas las reglas y sabe que sólo es cuestión de tiempo que te duermas en los laureles y que él pueda caer sobre ti. Porque los listos como tú son su especialidad.

El guardia de seguridad, el vigilante, puede ser una persona normal en cuanto se quita el uniforme, son casos de sobra conocidos. El problema es el inverso.

¿Qué sucede cuando el vigilante o la vigilante echan un gran polvo con su pareja y a la mañana siguiente no se les ha olvidado? Entonces puede ser que lleven algo de sí mismos al trabajo, podrían sonreírle a alguien, explicarle las reglas con amabilidad, podría ser el principio del fin. Por fortuna eso sucede raramente.

Selene

Esto es el infierno y los diablos son ellos.

Ellos son los verdaderos enemigos de Dios, los servidores de Satanás.

Por eso sus cárceles se llaman secretas. Porque se avergüenzan de ellas.

Aínur

Ahora el vigilante del Archivo Provincial se ríe mientras me retuerce la muñeca. En la mano retiene el único ejemplar del proceso a Selene.

El vigilante ríe, la página rota está en su mano.

Y sabe que lo único que puedo hacer es hacer todo lo que él me diga.

Me dejé manosear en los servicios del Archivo Provincial por un asqueroso vigilante de seguridad que podría ser un diablo menor, pero que no es más que un pobre diablo.

Le dejé que me sobara los pechos, que los toqueteara, y hasta que los chupara. Permití que metiese su sucia mano en mi falda, que tocase mi ombligo y avanzase como un ratón hacia el ombligo de su mundo. Pero no le dejé ir más allá, le sacudí como se sacude el polvo de las bibliotecas:

—Ya basta, que sólo es un libro.

(En realidad eran unas páginas, pero eran Las Páginas).

—No creerás que un libro vale tanto —repetí.

Y él estuvo de acuerdo.

Dejé que el vigilante me hiciera lo que no le había permitido a mi presidente, si hubieras sido tan complaciente con tu jefe, no habría habido juicio, ni matones, ni amenazas de muerte. Si te hubieses dejado tocar a tiempo no te verías así.

Podía oír la voz de mi jefe, mi propia voz que me decía: «Putilla, para dejarte tocar ahora podrías haberte dejado tocar antes».

No es lo mismo.

Lo he hecho por un libro, lo hago por un secreto.

Lo hago por mí misma.

Me denigro para salvarme.

Selene

Desde hacía tres días el único sonido de la prisión eran los tambores infernales de los carpinteros que se afanaban en levantar el cadalso. Dicen que la madera había venido en barcos, porque hasta el último árbol se convirtió en ataúd en los tiempos no tan lejanos de la peste cuando Selene todavía no era una bruja sino una santa. Los golpes martilleaban en la cabeza de Selene como una canción. Había visto morir a su tía en la hoguera y sabía lo que le esperaba. En aquel tiempo había sobornado al verdugo para que usara leña seca y crujiente, y ella misma había llevado lino y lana para que el fuego fuera más rápido y misericordioso. Ella había estado allí y sabía que no era suficiente. Oía la canción del fuego día y noche y no sentía miedo como creían sus enemigos. Su cerebro trabajaba más y más deprisa, como si toda su vida se hubiera estado ahorrando para ese momento y ahora pudiera dejar de fingir y entregarse de lleno a su grandeza. Porque aunque todo estaba perdido todavía quedaban muchas cosas por hacer. Ella, Selene, golpeada, violada, vilipendiada y casi incapaz de levantarse de su jergón, no estaba vencida. Condenada sí, vencida jamás. No dormía ni probaba bocado. La hoguera encendida en sus ojos noche y día no le daba respiro.

Ainur

Robé o más bien me llevé prestadas las actas del proceso de Selene del Archivo Provincial ubicado en el mismísimo lugar donde había estado el Tribunal de la Inquisición que juzgó a Selene. Ahora era un lugar donde se celebraban cursos de verano y conferencias a las que no asistía nadie.

No supe por qué lo hice. Nunca en mi vida había robado nada. Y no era necesario hacerlo. Podía haber escrito allí mi tesis al abrigo de los adustos muros de aquella prisión del cuerpo que se había convertido en prisión del alma. Lo hice porque sentí que Selene era mía, que era sólo para mí.

O tal vez lo hice porque tenía miedo de la pequeña ciudad de piedra, de los pasos en los callejones en torno a la catedral, los pasos que pisaban otros pasos, que pisaban cientos de años de aburrimiento, de cotilleos, de murmullos, de Regentas. Quizá pensaba que en la pequeña ciudad los matones me encontrarían, que el pueblo de mi abuela era un refugio más seguro para mí y para la bruja del pasado y sin embargo sabía por experiencia que un libro se esconde mejor entre libros y una persona entre personas, en el anonimato de la ciudad. Mi abuela decía que las ratas y las personas se vuelven locas cuando hay demasiadas juntas. Tal vez por eso sólo las ratas y los hombres hacen la guerra. Yo me sentía como una rata en aquella ciudad. No es de extrañar que la ciudad me tratara como tal.

No encontré a nadie en la casa de los padres del farero. El portal olía a lejía y a orines de perro. Una mujer con delantal y pañuelo en la cabeza estaba fregando la acera. Parecía que toda su vida consistía en fregar la acera una y otra vez mientras las gentes caminaban, vivían y morían a su lado.

—Se han ido —me dijo—, al pueblo de sus abuelos.

Yo vivía en el pueblo de sus abuelos.

Sucede que todo el mundo tiene cuatro abuelos y el mundo tiene cuatro esquinas.

Todo lo que necesitas está aquí, delante de tus ojos, sin salir de esta casa, sin salir de este pueblo, siempre ha estado aquí, siempre ha estado en ti, sólo que no sabías encontrarlo —dice el Señor Oscuro mientras señala los baúles, la biblioteca desvencijada, la enorme casa rectoral donde no entra la luz del día.

—Quieres decir que todo lo que necesito está en mí, tú hablas de filosofía. Fue necesario salir de aquí, dejar de verte, buscar en el Archivo Histórico Provincial, y si quiero seguir avanzando tendré que ir a Madrid e investigar en los fondos de la Biblioteca Nacional.

Cogió mi mano, se la llevó a los labios y me impuso silencio. Obedecí. Pensé que era de esa forma como se hacía obedecer el Conde Drácula, él despertaba en mí la misma clase de atracción y repulsión que el Bela Lugosi al que las muchachas vírgenes abrían su ventana en las películas de mi infancia. En realidad, me importaba poco la historia de Selene, era yo la que necesitaba ser salvada.

—Lo que te voy a enseñar no debes decírselo a nadie.

—¿Por qué?

—A nadie. ¿Me lo prometes?

—No puedo prometerlo si no sé qué es.

—Confía en mí.

No conocía a nadie que me inspirase menos confianza.

—No te amo —le dije a modo de respuesta.

—Lo sé, confía en mí y no se lo digas a nadie. Nunca.

Realmente se parecía al Conde Drácula, con la capa parda que llevaba en ese momento sobre el cuerpo desnudo, moreno, musculoso, no el cuerpo de un hombre mayor sino el de un hombre sin edad, con las cejas negras y crueles y los ojos verdes brillando en la oscuridad. Hay muchas clases de vampiros, pensé y dije:

—Confío en ti, no me queda nadie más en quien confiar.

—No te arrepentirás.

—Ésta fue la casa del párroco y los párrocos guardan extraños tesoros, secretos de confesión, legados de beatas, últimas voluntades de brujas...

Se había arrodillado sobre una gaveta al lado del lecho en el que yo yacía desnuda. La capa se hizo a un lado y dejó ver sus espaldas enormes, parecía un hombre de otra raza, un hombre de neandertal.

El tacto de la vitela sobre mi pecho era áspero. Estaba escrito en tinta antigua, con la caligrafía, adornada e imposible, de los escribanos del siglo XVII.

—No soy capaz de leerlo.

—Confía en mí —repitió, y comenzó a leer con su voz grave, una voz que parecía venir de las profundidades del mar que rugía a lo lejos contra el acantilado:

«... ¿Seré yo también bruja aunque no lo sepa?...». Aquí el manuscrito es ilegible, la letra tiembla... «Esta mañana han llevado a la hoguera a la vieja Penélope. En la locura del fuego, acusó a su hija de quince años. Dicen que ya la han cogido presa y que ahora está en el tormento. ¿Me volveré yo también loca? ¿Acusaré a mi hija?...».

—¿Lo ha escrito ella? Lo ha escrito Selene. Tenía una hija.

—Ya te dije que confiaras en mí. Y te equivocas conmigo. No soy el Conde Drácula. Soy el Hombre Lobo —dijo, y volvió a devorarme.

Me pregunté si había dicho algo en voz alta, luego ya no me pregunté nada.

Al Señor Oscuro le gusta dejarme mensajes en los sitios más inesperados. En el cajón de los calcetines. Entre la ropa sucia metida en la lavadora. Entre los cubiertos. Dentro de la nevera. Con mi lencería. En un cesto de frutas. Atados a la cuerda de tender la ropa.

No son exactamente mensajes de amor. A veces son muy cortos. Otras llenan folios con su caligrafía violeta, a menudo tan difícil de entender como él:

Todo es magia. Todo es brujería.

Tú haces magia todos los días. En cada calle, en cada casa.

Introduces un cilindro en unos misteriosos agujeros en la pared y un sinfín de aparatos demoniacos comienzan a funcionar. Aprietas un botón y la noche se convierte en día. Aprietas otro y una caja inerte se llena de personas que hablan y se mueven, personas que están muy lejos. Levantas un pequeño brazo negro y oyes una voz al otro lado del Atlántico. Encender y apagar la luz y el ordenador, el coche o la lavadora, subir a un avión o bajar a un submarino. Todas estas cosas son normales para ti, porque has nacido en este siglo; del mismo modo, podría parecerte normal en otras circunstancias ser capaz de disminuir tu temperatura y tu pulso como hacen los aborígenes australianos o transmitir el pensamiento o hacer que sucedan las cosas que deseas. Si hicieras cualquiera de estas cosas en el siglo XVII te quemarían por bruja, aunque quizá para quemarte fuera pecado suficiente vivir y pensar por tu cuenta.

Escucha con atención, niña pequeña —sigue escribiéndome el Señor Oscuro—, *llamar a las cosas magia, brujería o ciencia y tecnología es sólo una cuestión de punto de vista. A veces, un asunto de modas. La fuerza de la vida es una. Podemos tratar de ponerle nombres. No podemos detenerla.*

Y ni siquiera somos capaces de detener las fuerzas de la muerte, pensé yo, ni las que me atan a él.

Arrugué el papel y lo arrojé al cesto del carbón con el que alimentaba la cocina. Allí habían ido a parar el resto de los mensajes del Señor Oscuro. Los papeles eran muy útiles para encender el fuego en la gran cocina de carbón. Y todavía no había acabado el invierno.

El Señor Oscuro apenas hablaba. Y cuando hablaba su voz sonaba antigua. Era como si recitara. Como si repitiera de memoria algo que le habían contado cientos de veces.

Hablaba de su vida en los Trópicos como si hubiera sido eterna. Decía cosas que yo sabía y otras que jamás había oído y sin embargo al oírlas por primera vez tenían el sonido de la verdad.

Decía que los que son puros no sobreviven. Sólo los que se mezclan, los impuros, sobreviven.

Nunca llegan a saber si sobrevivir ha valido la pena.

La gente iba a verlos y los indios morían. Los mataban con sólo mirarlos. Su curiosidad les traía la gripe, la varicela, la viruela, la escarlatina: la muerte.

Cientos de miles de personas murieron víctimas de la mirada de los blancos y de los seres invisibles que viajaban con ellos. Porque los blancos tenían machetes que escupían fuego, tenían lanzas afiladas como el hambre y flechas que llegaban tan lejos como el viento, pero eso no era lo más peligroso. El verdadero peligro siempre es invisible a los ojos. El arma letal de los blancos sólo podía verse al microscopio. En algunos lugares, los indígenas se mezclaron. A veces por instinto y otras a la fuerza. Sus hijos heredaban la resistencia de sus padres violadores a los males invisibles. En América los indígenas salvaron su sangre mezclándola con la nuestra, haciéndola impura como la nuestra. Impura y resistente como la malvada sangre de los europeos.

Sé que soy culpable pero no sé de qué. Pero es seguro que tengo que ser culpable de algo grave. No puedo seguir engañándome por más tiempo, repitiéndome que es casualidad. Casualidad que las niñas se hayan reído de mí en el colegio, casualidad que en la comunidad de vecinos me echaran la culpa de todo, casualidad que mi jefe intentara acostarse conmigo y al no conseguirlo me hiciera la vida imposible. Tiene que haber algo en mí que no funciona. Algo que hace que los demás se fijen en mí y decidan aniquilarme. Me repito que no he hecho nada, que soy inocente. Pero los inocentes no necesitan proclamar su inocencia. Sólo los culpables dan explicaciones. Y toda mi vida ha sido dar explicaciones y excusas, ante mí misma y ante los demás. Toda mi vida ha sido intentar ser como los otros, que no se me note la diferencia, porque dentro de mí tiene que haber algo distinto, algo que desata el deseo de la caza en los demás, algo que hace que me sigan los gatos y me olisqueen los perros de la calle. Estoy al otro lado. Ellos están en el lado bueno, el de la mayoría. Yo estoy sola. Estar sola es estar equivocada.

Quizá ellos tienen razón y soy un monstruo. Creo que soy normal y por la noche, en sueños, hago cosas que luego no recuerdo. Sería un alivio. Una explicación. Mejor ser culpable que ser víctima. No puedo soportar más esta persecución, cada vez que me creo a salvo empieza de nuevo. Huí del campo a la ciudad. Pensaba que en la gran ciudad nadie me conocería, sería inmune a las bromas y las pullas de mis compañeros de colegio. Luego escapé de la gran ciudad, donde a nadie le importas, a un pueblo tan pequeño que nadie te recuerda y no ha servido de nada, no hay un lugar tan lejos que mi sombra no me alcance.

LA VOZ DEL NORTE

REDACCION

Célebre periodista desaparecido

Antonio García, el célebre periodista que se hizo eco del caso más famoso de acoso sexual y laboral de nuestro país, el de Ainur Méndez Álvarez, ha desaparecido de su domicilio sin dejar rastro. Según fuentes solventes habría sufrido una brutal paliza y habría huido de la ciudad. La familia teme un fatal desenlace. El periodista había sido objeto de numerosas amenazas desde que el alcalde de Idumea se vio obligado a dimitir. Le culpaban también de la crisis de su partido en las últimas elecciones. Antonio era un hombre sencillo que siempre comentaba en las entrevistas «que tampoco había sido para tanto». «Esto en otro país sería normal», afirmaba. «Hemos dado otro paso hacia la democracia», fueron algunas de sus declaraciones en la que es, hasta el momento, su última entrevista concedida a este diario el pasado día 28. La policía no ha hecho declaraciones sobre su desaparición, la cual vuelve a sacar a la luz la desaparición de la también amenazada protagonista del caso Ainur, la propia Ainur Méndez, que se encuentra en paradero desconocido y podría estar muerta. El ya ex alcalde de Idumea, que sigue conservando el cargo de presidente regional de su partido, se ha negado a hacer declaraciones.

Consuelo

Sí, fui yo la que llamé. No sabía que querían matarla. Pensaba que la llevarían a algún cursi concurso de televisión, donde se reencontraría con su jefe acosador y se darían un abrazo, mientras los bobos lloraban en sus casas. No sabía que querían matarla. Pero sabe usted, de saberlo, quizá hubiera llamado igualmente. No, por el dinero no. Yo no hago las cosas por dinero. Eso, señor periodista, debería haberlo comprendido hace rato. Vi el anuncio donde ofrecían la recompensa y les llamé. No sabía que pensaban matarla.

Aínur

Esa noche, la noche en que pasó casi todo, el mar devolvió un ahogado a la playa. Nadie del pueblo lo conocía y nadie pudo reconocerlo al principio. Los peces le habían comido los ojos y el pene y hasta el dedo gordo del pie, pero habían respetado los contornos de su sombra, como si fuera un mapa. Lo que quedaba de sus manos estaba envuelto en los jirones de unos guantes rojos que me eran familiares.

Los peces le habían comido todos los dedos de las manos, el pene y las orejas, se habían comido sus párpados y habían respetado sus ojos abiertos. No eran ni verdes ni azules, sino del color que tiene el cielo en las tormentas y en algunas pesadillas.

El ahogado, oscuro en la playa oscura, era como una de esas ballenas que se pierden con los radares y acaban en la arena. Los radares militares emiten las mismas señales que sabrosos bancos de plancton. Los radares militares convierten la tierra en mar y la mar en tierra. Sólo que las ballenas se siguen ahogando fuera del agua. El cuerpo varado era incongruente, estaba fuera de lugar desde que había vuelto a la tierra. La tierra le había pertenecido cuando todavía era un hombre pero ahora que era un ahogado su territorio era el mar. Quizá por eso el pueblo estuvo de acuerdo en devolverlo al mar, sin llamar a la policía ni a los jueces que lo cubrirían con una manta de aluminio y harían muchas, demasiadas preguntas. Lo devolvieron al mar para que el mar fuera su tumba.

El día en que apareció el ahogado fue la última noche en que clavaron un anónimo en la puerta de la iglesia.

La última noche en que un animal muerto apareció en los escalones de mi puerta.

La última noche en la que yo me atreví a nadar en el mar.

En la doble oscuridad de su celda, adonde hacía días que no llegaba ni la luz del día ni la de un pensamiento claro, Selene se arrastró hasta la pared, que la sostuvo mientras se ponía lentamente de pie. Imaginó que una luz caía sobre ella y la traspasaba. La claridad atravesó las plantas de sus pies y, convertida en una raíz luminosa, se internó en la mezcla de mugre, agua y excrementos que cubría el suelo hasta tocar la piedra viva. Siguió descendiendo hacia la oscuridad y el frescor de la tierra, traspasó las bodegas ocultas debajo de los calabozos, atravesó un cementerio judío y las ruinas de lo que había sido un templo de Mitra, se deslizó entre los huesos calcinados y las capas de las ciudades prerromanas y llegó por fin a un terreno arcilloso que nunca había sido tocado por el hombre. Allí Selene se concentró para dejar sus peores recuerdos: el abandono de su madre, la muerte en la hoguera de su tía Milagros, la violación del cazador de brujas, la envidia del médico traidor, la larga prisión, la tortura, la espera y el miedo se hundieron en la tierra y quedaron enterrados para siempre bajo aquel calabozo. Las raíces de luz siguieron todavía avanzando varios kilómetros, hasta encontrar el corazón caliente y viscoso de la Madre Tierra: un magma líquido de fuego y energía. Y esas mismas raíces lo absorbieron hacia arriba, atravesando los cementerios muertos y las paredes derruidas. Traspasaron la mugre del suelo del calabozo y subieron por las piernas de Selene hasta el centro de su cuerpo donde los antiguos creían que estaba el alma. Luego los hilos de luz alcanzaron su cabeza y desde sus brazos extendidos llegaron a la pared húmeda de la celda. La atravesaron, ascendieron por el cuerpo de guardia, hasta las salas de tortura y, más arriba, hacia el lugar donde el gran inquisidor daba vueltas sin poder dormir en su cama de brocado. Y traspasaron el tejado de madera y se alzaron hasta el cielo de la noche, hasta la luna llena que alumbraba el palacio de piedra y las casuchas de madera. Selene se esforzó en enviar a la Luna los mejores recuerdos de su vida: lo que sintió al encontrar el perro lobo, al amar al bachiller, al aprender a curar, al tener a su hija entre los brazos y salvar la vida de las parturientas. Y luego sintió cómo la luz volvía a ella como un paraguas para protegerla. Bajaba desde el techo hasta alojarse en su centro y unirse con el calor que venía del fondo de la tierra. Entonces abrió los ojos y bajó los brazos. Estaba débil y cansada, pero se sintió mejor. Y supo lo que tenía que hacer. Y descubrió que estaba condenada, no vencida.

Ainur sintió el humo sofocante, y comenzó a oír los tambores. Cerca. Más cerca. Venían del centro de la tierra. Más. Más fuerte. Los tambores de guerra. Sólo cuando sintió el frío suelo de la cripta supo de dónde venía el estruendo de los tambores.

Venía del centro de su corazón. Vio su corazón roto. Las aurículas desvencijadas como los muelles de un muñeco roto, con el vientre destripado dejando ver cuán sencillo y estúpido era su mecanismo. El estruendo de los tambores había cesado y supo que habían callado para siempre. En el silencio, vio su cuerpo tendido inmóvil en el centro de la cripta de los huesos. Los ojos abiertos. Cerrados por dentro y abiertos por fuera. Su cuerpo extendido hacia delante, como si hasta el último momento hubiera esperado una ayuda que no había llegado. Allí estaba su cuerpo desmadejado, inservible como si fuese de paja. Se le había roto el mecanismo, pero no importaba. Allí estaba ella. No sabía qué era. Vio el ventanuco abierto y se coló por él. Agitó las alas en el aire de la noche. Eran negras. Alas negras. Volaba sobre la plaza cuidando de no quemárselas. La noche era día. Los contornos del pueblo brillaban como los recortables con los que jugaba de niña. Vio a la vieja tuerta del ojo de cristal que servía a todos de una barrica de aguardiente. Vio a los matones uniformados por el miedo. Vio a su presidente, el alcalde de Idumea, sentado en el suelo y vomitando como mareado por el humo del incendio. Vio al siniestro sentado en la silla de ruedas de la siniestra. La tenía sobre sus rodillas y le tocaba las nalgas muertas. Voló sobre el cementerio y sobre el crucero y de nuevo a la plaza del pueblo. Había mucho humo y el cielo era rojo. Su casa ya no estaba ardiendo. No estaba. Y las gentes no eran las mismas, llevaban ropas extrañas. Había una hoguera que ardía en medio de la plaza. La gente estaba arrodillada gritando algo que no pudo entender. Se vio a sí misma en la hoguera, como una figura de cera, los cabellos pelirrojos en llamas, convertida en una tea humana. El fuego ardía con una gran humareda blanca y no había tocado su cara. Miró abajo y vio a Satán que ladraba alegremente. Quiso acercarse a la mujer del fuego que era ella misma. Sus ojos estaban cerrados, su boca entreabierta, por sus mejillas se deslizaban lágrimas. Trató de llegar a ellas. Necesitaba beber esas lágrimas. Sintió cómo el fuego le mordía las alas. Entonces la efigie del fuego abrió los ojos, sonrió (supo que le sonreía a ella) y volvió a cerrarlos. Su cabeza cayó hacia un lado y Ainur vio la muerte y era fría y solitaria y olía a humedad. Abrió los ojos y aquello no era la muerte. Era la cripta de los huesos. Estaba tendida en el suelo, y tenía sangre en la boca.

Cómo había llegado hasta allí?

Recordaba la loca carrera en la noche, el zumbido de la sangre en sus oídos, el gusto metálico de la sangre en su boca. Había sentido el estómago en su boca, el corazón en sus manos. Estaba al borde del acantilado. Se paró y se dobló en dos. Nadie la seguía. Todavía tenía la llave del *memento mori.* Tenía que escapar con la cabeza y no con los pies. Los que la perseguían estarían distraídos. Era el momento de ocultarse en la cueva del *memento mori,* en la gruta de los muertos. Eso era lo que le había dicho el Señor Oscuro. Él lo sabía, sabía que aquello iba a suceder.

Quizá fuera la única salvación: ocultarse en una tumba, quizá morir en ella, sin esperanza, sin alimentos, salvarse al menos de la estupidez de aquel linchamiento absurdo, impedir el triunfo final de su presidente, romperle los dientes para que no se ría, romperse ella para no darle el gusto de romperla.

Pero no era así como había llegado hasta aquí. El camino por el que había llegado hasta aquí era muchísimo más largo y retorcido, daba vueltas sin sentido, como las que da nuestra vida. Se retuerce sobre sí misma como una serpiente y no sabemos adónde nos lleva, porque no nos lleva a ninguna parte. Y, sin embargo, todo comenzó cuando llegaron al pueblo los dos hombres altos. Vestidos de negro. Como enterradores.

O como cuervos.

—¿Estás seguro? —le pregunté al Señor Oscuro.

—Seguro como de la muerte.

—¿Les has visto?

—Les vi rondando tu casa, dando vueltas a la iglesia, apoyados en el muro del cementerio. Altos, estirados, vestidos con trajes negros que da la sensación de que les han prestado.

—Como cuervos.

—O como policías secretas.

—Podrían ser turistas.

—¿Aquí? Aquí nos conocemos todos, y esos dos llaman demasiado la atención. Caminan, lo miran todo, preguntan a todos. Y no hablan entre sí.

—¿Crees que vienen a por mí?

—Vienen a por alguien.

—¿Qué podemos hacer?

—Si algo sucede, tienes que prometerme que harás exactamente lo que voy a decirte. Con exactitud y en el mismo orden.

—¿Por qué debo confiar en ti?

—Porque soy el único del pueblo que no se alegraría si te ocurriera algo malo.

La incertidumbre que duraría más que los huesos de Selene, más que mis propios miedos, más que la maldición de las mujeres, comenzó, hasta donde sé o puedo contar, con un cadáver que flotaba confiado hacia la playa y un gato muerto, desmadejado con los ojos abiertos.

En lo más profundo de esos ojos estaba enterrada la sombra de su asesino: ésa era la última imagen que habían visto.

Pensaba en ello mientras los escudriñaba. Pasé mi mano por el lomo del gato, como si al acariciarlo fuera a volver a la vida. Estaba muerto para siempre. Rígido y un poco pegajoso. El único reflejo que me devolvieron sus ojos fue mi cara horrorizada y el grito con el que, tras un minuto largo como un siglo, le dejé caer al suelo.

Entré en la casa y me lavé las manos. Seguían estando pegajosas y sucias. Me duché, pero ni siquiera después de enjabonarme tres veces me sentí limpia. Las palabras del anónimo me habían ensuciado mucho más que el contacto viscoso del cuerpo muerto.

Eran sólo tres palabras:

VAS
a
morIR

Al principio no había visto el papel. O lo había visto, pero había resbalado sobre él, atraída por el magnetismo ciego de los ojos muertos. Mirar no es ver. Miré. No vi la cosa blanca en las tripas desdentadas del gato. Cuando el gato cayó al suelo el papel saltó hacia delante, como un animal salvaje que ha esperado agazapado.

Me recorrió un escalofrío. Miré afuera, a la noche desafiante. Tenía que estar muy cerca. El que lo había escrito. Agazapado como el papel, esperando a saltar sobre su presa.

Y su presa era yo.

Y no podía quedarme quieta en mi madriguera. Cualquier lugar de aquel pueblo era una trampa. El calor llegaba nauseabundo desde el mar. Traía los olores de los cañaverales y las algas, de peces muertos arrastrados por la marea hasta la playa.

Tenía que ir a ver al único amigo que tenía en este pueblo.

La luna era grande, inmensa como una calabaza. Luna llena.

Llegué corriendo hasta la playa. A las órdenes de Selene, la Luna, las olas eran ratoncitos blancos.

Entré desnuda en el regazo del único amigo que no me traicionaría en este pueblo. Confiaba en el seno del mar cuando quería resolver un problema.

Miré hacia atrás y no vi a nadie. La playa estaba desierta. Sabía que estaba tentando al destino. Si alguien quería hacerme daño nada mejor que aquí y ahora. Mi cadáver estaría ya desnudo, ofrecido como un sacrificio.

Comencé a nadar. El mar era aceite. Lamía mis heridas. Me dejé flotar entre la espuma. El mar hablaba con su voz de siglos. Quería ser una con el mar. Dejarme flotar hasta que mi yo se disolviese en el agua, como un terrón de azúcar. Dejar de ser yo.

Ser el mar.
Flotar, flotar, flotar hacia el horizonte.
Sin pensar.
Y dejar
de
ser.

Creo que lo hubiera hecho, si no hubiera sido porque de repente tropecé con algo, negro, peludo, amenazador como una araña gigante.

Era Satán.

Tiraba de mí, hacia la orilla, hacia la vida.

Me había seguido. Y me hubiera seguido hasta el horizonte.

Mi otro amigo, celoso de mi amante el mar.

Cuando estábamos casi en la orilla Satán viró, mordisqueó mi brazo y nadé, tras él, mar adentro.

«Está bien, viejo amigo, si crees que es lo mejor, ya no caeré más bajo, ya no me harán sufrir. Abandonar es vencer, si pienso en todos los momentos felices que me esperan y los pongo en una balanza con los momentos malos, con la enfermedad, la vejez y, al final de tanta lucha, la derrota inevitable de la muerte. Abandonar es vencer. Es estar por encima de la vida. Triunfar sobre los que quieren matarte. Si muero, no hay nada que matar y ellos habrán fracasado».

Está en mi mano hacerles fracasar.

Tú has venido para mostrarme el camino.

Y por tercera vez aquella noche tropecé sin querer con un cuerpo. Algo oscuro, viscoso, claro y blando a la luz de la luna, en la noche sin estrellas.

Era un cadáver. Satán había nadado hacia un ahogado y ahora lo arrastraba hacia la playa.

Sentí que el mar ya no era mi amigo.

Porque desde el primer momento reconocí lo que quedaba de las ropas, los guantes rojos, la mueca arrancada a dentelladas por los peces.

No sé cómo llegué hasta casa. Hay un espacio rojo en mi mente. Me encontré tumbada sobre las baldosas de la cocina. Satán estaba a mi lado. Sabía que me había salvado. No sabía cómo ni de qué.

Podía imaginarme que había sido un sueño, pero algo había cambiado en mi piel. Al contacto con el muerto, había perdido algo en el agua del mar.

Si conseguía recordar qué era, quizá podría volver a hablar.

Me duché por sexta vez aquella noche, a pesar de que lo sabía. Sabía que nunca volvería a estar limpia. A pesar de todo, tenía que intentarlo.

Me restregué con el estropajo de la cocina. Todo en mí olía a muerto. Era un olor dulzón, ahora mío para siempre. Supe que no es que la suciedad se me hubiese quedado pegada al alma, es que después de aquel baño en el mar mi alma era esa suciedad. Sólo la sensación de estar sucia y el asco que me daba a mí misma impidieron que el vacío que me iba creciendo dentro me devorase.

Quería llorar pero no tenía lágrimas. Con los ojos abiertos veía una oscuridad roja.

Ha sido culpa mía. Lo sé.

Por algo que dije o que no dije.

Por no estar allí o por estar demasiado.

Tendida en el suelo de la cocina, oía gotear el grifo del fregadero. Por encima de mi nariz, el cubo de basura se erguía como un castillo.

Olía mal, pero no tan mal como yo.

Cuando conseguí levantarme, seguía viendo rojo, pero los contornos de las cosas eran lo suficientemente claros en la neblina ocre para avanzar a trompicones.

De todos modos, a donde me dirigía hubiera podido ir con los ojos cerrados.

Estaba yendo con los ojos cerrados. Cerrados para siempre a las cosas que yo solía sentir. Me había quedado ciega para las emociones. No sentía nada, mientras bordeaba la cripta de los huesos en la ermita de la Magdalena y empujaba la cancela de aquella casa donde nunca era de día.

Tú lo mataste —acuso al Señor Oscuro.

Él me aprieta muy fuerte contra él, como si yo fuera a caerme. Estamos desnudos. El vello de su torso me araña la piel. Le vuelve el tartamudeo. Cuando miente, siempre tartamudea.

—Yo no lo maté, pero deseé que muriera. En mi caso podría ser lo mismo.

—¿Por qué?

—Por ti, evidentemente.

—No me conocías.

—Oh, sí, te conozco a ti y a las que son como tú desde hace mucho, muchísimo tiempo. Te deseaba para mí.

—No me tienes ni siquiera ahora. Vete —grito.

—Sabes que no he hecho nada.

—Vete —le digo—. O yo también empezaré a desear tu muerte.

—Los del pueblo están soliviantados. Hablan. Dicen cosas. El calor los ha trastornado. Cuando encuentren el cadáver se volverán locos. No son gente de ciudad, no les importa que estemos en el siglo XXI. Ellos creen en los espíritus que degüellan animales. Mandan decir misas a las ánimas del purgatorio. Dicen que te has acostado con los dos únicos hombres libres que había en el pueblo. No confiesan la envidia que les da. Dicen que es cosa de brujería. Una pelirroja flaca y feúcha, una chica de la ciudad, que se cree mejor que ellos. Hablan de prender fuego a tu casa. No creo que lo hagan. No se atreverán. Mientras yo esté contigo. Me necesitas.

—No te necesito.

—Dicen que anoche llegaron unos extranjeros, dicen que han venido a matarte.

—Quieres asustarme como a una niña. No te necesito.

Tenía miedo de necesitarle. Hay un momento en que las costumbres se convierten en necesidades. Cuando llega ese momento, estás perdido.

Se levantó sin prisa. Me dijo que iba a jugar al billar. Aunque fuera de noche. Aunque no fuera sábado.

Me quedé inmóvil en la oscuridad. Al poco rato volvió. Me contó que su mano derecha había ganado a la izquierda. Quizá había dejado de ser zurdo. O de ser invencible. Me preguntó si yo creía que ahora debía irse del pueblo. Había perdido la apuesta contra sí mismo, después de tanto tiempo. Me encogí de hombros.

Se caló las gafas negras y el abrigo de cuero como si la luz de la luna le deslumbrara y el calor que comenzaba a infiltrarse por los huecos de nuestra vida le dejara helado. Echó a andar en dirección al acantilado, como hacía tantas veces. Satán, que solía ir con él, se quedó pegado a mi vestido, yo le azucé para que lo siguiera. Me daba miedo que fuera solo. El gran perro negro me miró con ojos largos y tristes.

Aquélla fue la última vez que vi al Señor Oscuro.

A la mañana siguiente supe que estaba encinta.

Si algo sucede —me había dicho—; si no vuelvo, debes ocultarte en la cripta del *memento mori*».

Es como una tumba.

Es una tumba y una tumba es el único lugar seguro en este pueblo.

Consuelo

Ya le dije, señor periodista, pasó lo que tenía que pasar. Mi amigo el cartero, sí, ya sé que se viste un poco extraño, no es mal chico. Tiene a su mujer en silla de ruedas, como le decía, mi amigo el cartero, el que le trajo a usted. Tiene el único Land Rover del pueblo. Sí, el de la capa negra y el anillo en la nariz, como un toro. Lo vio todo. Estaba con su mujer en una pequeña cueva a la que suelen ir. Qué quiere que le diga, nada bueno harán allí, fumar porros o cosas peores. En fin, hay que disculparlos, pobrecillos. Como ella, aparte de minusválida parece un poco retrasada... Hay que tener caridad con ellos. Debemos ser buenos cristianos. El caso es que los dos lo vieron todo, pero como la mujer no habla, me lo contó él. El pobre hombre estaba solo en el acantilado, con las manos en alto, dando grandes voces, el perro daba vueltas en torno a él. Se desató la tormenta. El cielo parecía una barraca de feria, como si le dieran electroshock a las nubes, me dijo el chico. El hombre se puso a acariciar el pelo largo y negro del can. Un perro muy extraño ése. Si yo le contara. Y vimos, sí yo también es como si lo hubiera visto, vimos cómo el fuego caía del cielo, y dibujaba la figura diabólica del perro antes de caer a tierra. El hombre cayó fulminado. El perro huyó sin sufrir daño. Cuando yo llegué, el Señor Oscuro, bueno, el párroco del pueblo, lo llamamos así. Un buen hombre, tenía sus cosas pero era un buen hombre. No, no hace falta llamar al Obispado. En realidad ya no era sacerdote, pero a nosotros nos protegía, decía misas y eso. Ya sabe que el sacerdocio imprime carácter. Cuando uno ha sido ordenado, nunca pierde el don. Como iba diciendo, el Señor Oscuro todavía respiraba, echaba una espuma verde por la boca, tenía los ojos vueltos hacia dentro, agonizó diez minutos más. Vino todo el pueblo a verle, no sabíamos qué hacer. Enseguida alguien empezó a pedir venganza. ¿Que contra quién? ¡Pues contra quién iba a ser! ¡Contra ella! El perro es de ella. Aparecía y desaparecía en la niebla y ella lo recogió. Raro, lo que se dice raro, es bastante raro. El médico que vino de la capital dijo que había leído una vez un caso, pero nunca había visto ninguno. No si, al parecer, no tiene nada de sobrenatural. El pelo del perro condujo la electricidad, como si fuera un cable, usted me entiende, por eso no le pasó nada, al perro, al perro no le pasó nada. Al hombre lo mató. Digamos que no tenía toma de tierra y se electrocutó. Lo partió un rayo. Pero, claro, es normal que nos hayamos quedado conmocionados. Y luego viene usted preguntando por Ainur, con todas las cosas que han pasado en este pueblo. Realmente Ainur ya no nos parece que haya sido muy importante. Casi nadie la recuerda. Vamos, yo sí, pero yo, señor periodista, es que soy la memoria de este pueblo. Como lo oye, la memoria tuerta y coja, pero memoria al fin.

Aínur

Cuando me trajeron al Señor Oscuro, grité, grité hasta quedarme ronca. Caí al suelo, como si a mí también me hubiera fulminado el rayo. Me revolcaba por el suelo y trataba de golpearme con las piedras. Quería provocarme un dolor que me doliera más que aquél.

No derramé ni una lágrima.

Los del pueblo me miraron mal por ello. Oí a Consuelo que lo repetía.

—No ha derramado ni una lágrima.

Y pensé: ¿por qué habría de derramar ni un átomo de mí por él? Ese hombre me violó y yo me denigré entregándome a él. Él era mi parte oscura, la cara oculta de la luna.

Ahora que él ya no estaba, ya no quedaba nada de mí. Me había quedado sola.

De alguna manera yo le había aceptado, como aceptas con el tiempo las partes de ti que no te gustan. Lo acepté y esa aceptación fue otro de los nombres del amor.

Un amor oscuro y extraño.

Como él.

Mejor que esa nada que había dejado tras de él.

Estaba de pie sobre los acantilados del destino, haciéndome más vieja cada minuto que pasaba. Era el peor año de mi vida, peor que cuando mi jefe me mandó que le llevara las toallas, peor que cuando me violó el alcalde. Estaba embarazada y no sabía de quién. Quizá fuera del Diablo.

No sabía qué hacer. Comenzó a llover. El agua era acero que caía. Rompía mi piel y resbalaba sobre el pelo de Satán que me lamía los dedos y tiraba de mi manga, como si quisiera sacarme de allí. A mis pies, el abismo me llamaba con una voz ronca, la espuma se rompía en mil pedazos. Golpeaba contra mí y mi vientre estallaba en todas las direcciones. Aquel pueblo me había modelado, como el agua a la roca. Yo creía que era más fuerte que ellos, pero ellos eran más fuertes que yo. Ya no tenía nada que hacer allí. Tenía que irme, aunque no supiera adónde. Huir, quizá huir de mí misma.

¿Quién había matado a los animales? ¿Quién dejaba en la puerta de la iglesia los extraños anónimos firmados por Satán? Esa firma, ¿se refería al Diablo o era el nombre de mi perro? ¿Tenía razón Consuelo cuando me acusaba? Podría ser que yo hiciera cosas que no recordara, acciones que me pareciera imposible cometer. Creo que sé quién soy. Aunque esa certeza, como todas las demás de mi vida, ya un poco desgastadas por el tiempo, se ha hecho añicos en este pueblo azotado por el salitre y la maledicencia. Debe de haber un motivo para que me persiguieran en el trabajo, en mi comunidad de propietarios, en la escuela y ahora de nuevo. Quizá de verdad soy una persona distinta a la que creo ser y hago cosas que no me confieso a mí misma. Sólo así tendría justificación esta locura.

Desde que apareció el cadáver del farero soy incapaz de llorar. Sin embargo mis ojos lagrimean constantemente, como si tuvieran vida propia y lloraran solos, a mis espaldas.

Lloran por Selene, lloran por el Señor Oscuro, lloran por mí.

Consuelo ha reunido a todo el pueblo en su tienda. Les ha servido ese brebaje que prepara y que llama aguardiente y les ha dicho que ha descubierto al autor de las muertes de animales, la misma persona que llevó al farero al suicidio. Una mujer sin atractivo físico que ha vuelto locos a los únicos hombres libres de este pueblo. Una forastera que nos abandonó cuando era niña, porque ya entonces no la queríamos. Nunca la hemos querido ni a ella ni a su madre.

Estoy allí, escucho como si no hablaran de mí. Al fin y al cabo, ellos hablan de mí como si yo no estuviera. Como se hace sólo con los camareros y los niños muy pequeños. Me consideran de otro mundo, en el que rebotan mis palabras. Deciden votar qué hacer conmigo. Todo el pueblo lo apoya levantando la mano. Todos menos yo. Pero ha quedado claro que yo no soy del pueblo. No tienen derecho a juzgarme. Se lo digo. Se encogen de hombros. Los derechos no son su fuerte. Ellos sólo entienden de reveses. Los gigantes rubios hacen retumbar el suelo con su pata de palo. Piden justicia. El siniestro se encoge de hombros y su compañera de la silla de ruedas me guiña un ojo embarrado en rímel y lágrimas. Veo los cardenales en su cara. Ella, como muchos, se regocija de no ser la acusada. Como en la antigüedad, la maldición de los dioses siempre recae extramuros. Nada más lógico que la forastera resulte ser la acusada. Los dejo gritando, tirando al suelo servilletas de papel y diciendo tacos. No se dan cuenta de que me he ido, igual que han fingido no percibir mi presencia. Soy un fantasma. No me reconocen el derecho a existir.

Cómo he podido ser tan estúpida. Tengo que descubrir quién mató a los cuervos, a las ratas, a los conejos. Quién clavó mensajes de Satán en la puerta de la iglesia.

No importa quién haya sido mientras se demuestre que no he podido ser yo.

Convencerlos a ellos es convencerme a mí misma. Sé quién soy.

Consuelo

Tú crees que eres la víctima, la pobrecilla, y que todos te odiamos sin motivo. ¿Has hecho algo por nosotros? ¿Nos has ayudado? No, ¿verdad? Para ti somos un pueblo de lisiados y tú nos miras por encima del hombro. Todo el mundo te persigue y tú no tienes culpa de nada. ¿Y qué has hecho tú por los demás, si tan buena eres? ¿Crees que eres mejor que nosotros? ¿Crees que eres una perseguida? ¿Y yo? ¿No soy una perseguida? ¿No me han llamado coja, bruja y fea?

Si tú tienes razón, todos nosotros estamos equivocados.
Y nosotros somos más.

No hay peor culpable que el que cree ser inocente.

Ainur

Ellos van de casa en casa leyendo los nombres de los brujos. Son una muchedumbre. Reconozco a Consuelo con su ojo de cristal y su pata de palo y a los gigantes rubios. Se han detenido en la casa del Señor Oscuro. No se atreven a pronunciar su nombre. Vienen hacia aquí.

Se detienen delante de mi casa. Llevan bidones de gasolina, y comienzan a rociar la casa. Pienso que en ese momento voy a despertarme, pero no me despierto.

Está todo el pueblo. Desde que apareció el ahogado, me culpan de la muerte del farero.

Y también están los forasteros. Los reconozco. Visten de oscuro y son demasiado altos, con el pelo cortado a cepillo, como si todavía estuvieran en el campo de entrenamiento. Ellos me culpan de otras cosas.

Las llamas suben y se clavan en mí y entonces me despierto.

Y allí están casi como en mi sueño.

Sólo que todavía no han llegado a la plaza, todavía están al principio de la calle. Casi no se les ve. Se ven fuegos que danzan como los fuegos fatuos del cementerio. Como los ojos de un monstruo en la oscuridad. Si no lo hubiera soñado, no sabría que son antorchas. Caminan en silencio, vienen hacia aquí. No tengo manera de huir, ni cómo esconderme. Quemarán mi casa conmigo dentro. Y entonces se detienen, doblan la esquina. Tardo unos segundos en comprender que van hacia la casa del Señor Oscuro. Y me quedo paralizada hasta que veo las llamas que se elevan hacia el cielo. Alumbran la noche oscura. La pueblan de animales de humo. Fantasmas negros que huelen a quemado ocultan la luna.

Antes de que mi mente lo comprenda, mis piernas han comenzado a moverse. Parece que se agitan sin orden ni concierto, como si se hubieran vuelto locas. Respiro un aire fuerte que huele a asado, a carne que se dora lentamente al fuego. Me recorre un escalofrío. Tardo en darme cuenta de que estoy fuera. Corro.

En la oscuridad. Hacia delante. Huyo. De mí, de todos. Los árboles son brazos. Las ramas bajas me arañan la cara. Sombras alargadas. Puertas que no cierran bien, que no abren bien. He conseguido abrir la puerta del *memento mori* a duras penas. La llave se enquista en la cerradura. Y ahora no se cierra desde dentro. Estoy apoyada contra ella con toda la fuerza de mi respiración. Al final oigo un clic. La puerta se ha cerrado. La tumba se ha cerrado. Corro en la oscuridad buscando una cerilla en mi bolsillo, una cerilla para que se haga la luz, pero no la encuentro. Soy ciega. Por más que abro los ojos, soy ciega. Piso algo muerto y grito. Lo toco con la mano. Es una rata muerta. Creo que es una rata, pero podría ser cualquier otra cosa, pequeña y maligna. Más alivio que asco...

Ciega. Algo me agarra los bajos del pantalón, me atrapa. No puedo moverme. Noto el hueso, la mano descarnada. Forcejeo. El corazón es como un helicóptero. A punto de estrellarse. Grito, grito, grito. La mano de hueso no ceja. Algo se rasga. Y caigo hacia delante.

He caído de bruces entre los esqueletos de los príncipes niños. Un esqueleto sujeta un trozo de tela como una bandera. Es lo que queda de mi pantalón. Ya no estoy ciega. La claridad de la luna llena la cripta. Veo que la roca tiene una rendija, como un ojo en la noche. Hubiera podido morir de miedo. Me muero de risa. Y entonces veo el misal en las manos del niño, el cofre abierto, el frasquito lleno de arena negra, el legado de Selene...

El legado... Había pensado que no existía, que era una invención del Señor Oscuro.

Apenas puedo leer lo que dice:

He muerto y he resucitado.

Has muerto y has resucitado. Sabes que las palabras son poderosas. Sabes que las palabras son mágicas. No lo olvides. Has muerto y has resucitado.

Leí otra vez la carta de Selene. Me pregunté cómo habría hecho para conseguir vitela tan fina en la cárcel. Vitela. La piel de los corderos no nacidos. Un crimen a cambio de unas palabras. Palabras para mí. Esa carta dirigida al futuro se había convertido en mi única esperanza. Si había algún modo de salvar la vida, estaba escrito allí. Las letras danzaban un baile macabro. Temblaban delante de mis ojos como la luz de las cerillas, a cuyo resplandor leía fragmento tras fragmento. Con miedo, con esperanza, como ante una oración o una sentencia.

Aquí y allá la tinta se había borrado. A veces la caligrafía era incomprensible.

Volví a leer lo poco que comprendía.

He muerto y he resucitado.
Has muerto y has resucitado. Sabes que las palabras son poderosas. Sabes que las palabras son mágicas. No lo olvides. Has muerto y has resucitado.

A decir verdad, no comprendía nada.
Nada de nada.

Estoy sentada jugando al corro con los niños que nunca crecerán. Estamos en el País de Nunca Jamás. Es un país de hueso, donde crecen las tibias como flores y las calaveras sonríen para siempre.

Los niños también sonríen con su blanda calavera de niño y sus fontanelas abiertas, como si esperaran todavía la inspiración de una idea. Sus cráneos abiertos respiran hacia mí, sonríen y me tienden las manos. En una de ellas brilla un anillo, las otras sostienen un cofre. Llevan sus mejores vestidos y están aquí, conmigo, para siempre, juegan conmigo a que no están muertos. Con cada sombra se mueven y chillan como lo que son, como chiquillos.

En mis viajes, hace tiempo, cuando yo era otra, he visto a los niños muertos crecer en los árboles. Escondidos, no en una cueva mágica, sino en el corazón del árbol. Los niños de Sulawesi crecen para siempre. Pero mis niños ya no crecerán. No conocerán la decepción, ni la traición de los amigos, ni la repetición de los amores, ni el cansancio de vivir, ni el temor a la vejez, porque ellos nunca serán viejos. Ahora juegan conmigo, intentan volverme loca jugando a que están vivos.

Con cada reflejo de mi linterna se ríen de mí y se ríen conmigo. Los hijos del conde, mis compañeros aquí abajo, escondidos para siempre, jugando para siempre. Ellos no tienen miedo. Han tocado la palabra «siempre» y era de hueso. Yo tengo miedo de ese siempre. Tengo miedo de los vivos que no respetan la palabra «siempre», porque no la conocen. No saben todavía que siempre está al otro lado, que siempre existe sólo para la muerte. Para la vida siempre es todavía.

En el País de Nunca Jamás, el País del Todavía. Busco lo prometido.

El Señor Oscuro dijo que había algo para mí aquí abajo, algo más que una madriguera.

Me he vuelto como un animal que se oculta y cree en supersticiones. Me he entregado al lado oscuro y ahora estoy en la oscuridad.

Él me habló de un bebedizo que cambia a las personas.

A los tímidos los convierte en sabios, a los aburridos en ocurrentes, a las vírgenes en cortesanas, a los cojos en gigantes...

—Estás hablando de la sidra —le dije.

—Un brebaje —dijo— por el que las compañías farmacéuticas pagarían millones.

Ella habrá dejado la fórmula escrita en algún lugar. Me dijo dónde encontrarlo.

Los esqueletos de los condes niños llevan un cofre entre sus manos. Una ofrenda para el más allá. No ha estado nunca escondido. Siempre ha estado a la vista de la gente. Durante todos estos siglos cualquiera podría haberlo encontrado, haberlo usado o haberlo destruido.

—Es para ti, si eres tú a quien le sirve es para ti. Y si lo encuentras es porque te ha estado esperando. Como en los cuentos para niños.

—No, como en las pesadillas de los mayores.

El más pequeño de los condes niños lleva un misal entre las manos. Cae al suelo. A mis pies. El polvo de los siglos me ciega como el humo.

Es un *Lazarillo* edición de Flandes de 1554. El secreto de Selene es un libro.

Oyó gritos, aullidos como los de un lobo y truenos. Sus dedos consiguieron encontrar la madera en la pared, buscaron el cerrojo sin éxito. La madera se le clavó en la mano, el dolor era punzante y la reconfortó. Se había clavado algo metálico, con la boca atrapó el cerrojo y lo descorrió. El salitre silbó al entrar con el aire de la noche insuflando un poco de vida en la cueva. Era apenas una rendija protegida con una reja, desde allí se veía su casa y la plazuela, los ojos alineados con las losas que tantos habían pisado. Luego todo se llenó de pies y de pisadas.

Por la pequeña rendija en la oscuridad era difícil distinguir las caras de aquellos bultos informes que se alzaban ante su casa, al otro lado de la plazuela. Veía sólo las antorchas de brea. Resplandecían y el mundo temblaba a su luz roja. Reconoció a los cojos no por sus caras, sino por el arrastrar de sus piernas. Dejaban marcas en el barro como si fueran carretas rotas. Y, entonces, al final de la calle, vio surgir a los cuatro hombres: sombras altas y fuertes que avanzaban derechas hacia el fuego. Un relámpago iluminó el cielo y durante un segundo la escena fue clara como el día, como un cuadro o una pesadilla. Aunque había sido sólo un segundo, Ainur reconoció la sombra baja de un vientre hinchado y deforme, cuyo rostro no podría olvidar ni aquí escondida entre los muertos. La papada flácida, los ojos pequeños y crueles, la calva y los cuatro pelos peinados hacia delante. Era él. El hombre que siempre llevaba consigo. El rostro con el que soñaba todas las noches. El hombre que Ainur odiaba más que nada en el mundo. Palpó la cicatriz de su barbilla, la que él le había hecho arrojándola al suelo y al desastre sobre el baño de mármol del hotel Amigo. Era el alcalde de Idumea. Su presidente, el que la había mandado llevarle las toallas y había intentado violarla cuando ella todavía era inocente. Hacía tanto tiempo...

No se preguntó qué hacía allí el alcalde. La había alcanzado como el tiempo, como el fuego, como la alcanzaría la muerte. Ya no tenía sentido huir, ni esconderse. Se oyeron truenos. La tormenta se acercaba. Antes de que comenzase a llover, Ainur salió a la calle. Al encuentro de los que la buscaban para matarla.

Esta noche lo harán. Me quemarán viva. Parecerá un accidente. Cuando lleguen los bomberos desde Arriondas será demasiado tarde. Alguno dirá que intentó salvarme. Aprieto el libro contra mi pecho. El libro con la página mágica impregnada en los ungüentos de Selene, la que me dieron las manos de los niños muertos. Allí había estado todo el tiempo, escondida a la vista de todos. Un viejo volumen en las manos de un esqueleto. Unas letras polvorientas que el agua vuelve a la vida. La tierra a la tierra, el polvo al polvo. Las palabras de Selene... a mí.

Ella escribió una carta para su hija y para las hijas de su hija. Una carta escrita con laminaduras de plata y bañada en su ciencia. Un pergamino de vitela finísima para probar que la bruja es médica y alquimista. Las palabras de la carta disueltas en agua dan la vida y pueden quitarla.

No sé si después de tanto tiempo el bebedizo funcionará o se habrá convertido en un veneno mortal. Pero no tengo elección. Al amanecer dejaré flotar la carta de Selene en la alberca que da agua a este pueblo y esta noche esperaré a que vengan. Ya están aquí. Como en mi sueño, llevan hoces y guadañas, bidones de gasolina y cruces. Gritan y sus rostros están tan desencajados que no los conozco. En la puerta de la capilla, Consuelo les da la última arenga. Me acusa de los anónimos, de los animales muertos, del ahogado y de la muerte del Señor Oscuro. Algunos tienen miedo. El cielo es violeta y con el último grito se va la última luz. Vienen hacia aquí. Se detienen delante de la casa. Oigo rechinar las ruedas de una carreta.

Selene

Mientras la carreta avanzaba entre los insultos, Selene cerraba los ojos y, cada vez que los cerraba, volvía a ver a la mujer de su sueño, tal y como la había visto en el calabozo, inclinada sobre el aparato misterioso, moviendo los labios y los dedos. Y luego abría los ojos y veía de nuevo las antorchas y se sentía cansada, muy cansada, tan cansada que nada le importaba, tan cansada que deseaba sólo que todo acabase de una vez. Sabía que la droga le haría efecto, que ya le estaba haciendo efecto y la llevaba de nuevo a un ensueño donde ella no era ella sino otra y vivía en un mundo extraño con pájaros de metal que te conducían por caminos tan lisos como la arena de la playa. Allí había muchas mujeres que curaban y vestían de blanco como sacerdotisas. Ella estaba también ante el fuego, aunque no era el fuego de una hoguera, sino un resplandor más grande. Era una gran casa de piedra la que ardía. Una casa que ella no había visto nunca, frente a la capilla de la Magdalena donde estaban ahora las huertas. Todo era distinto en su sueño. Sólo la capilla y ella eran lo mismo. Selene estaba entre los esqueletos de la cripta y descubría el cofre y el libro con la carta a su hija, la carta untada con el remedio a todos los males que ella misma había hecho ocultar. Y ahora, con ojos desorbitados, abría la pequeña gaveta del muro y veía...

... el pueblo de los cojos formado como un ejército, en torno a los matones y al peor de sus enemigos. El humo del incendio con el que ardía su casa se le metía a Ainur en los ojos. Le caían grandes lagrimones. Se sintió desfallecer. El cielo fue el suelo. Las manos se le cayeron a lo largo del cuerpo, que se desmadejó como si al títere le hubieran finalmente soltado los hilos. Cerró los ojos y, cuando los abrió, vio que iba en una carreta entre una turba de caras sucias y mal peinadas. Una multitud vestida como para un baile de carnaval. Había animales, niños harapientos, caras picadas por la viruela. La carreta avanzaba por una calzada desigual y, más que los insultos le afectaban los olores a orines, a boñigas, a queso agrio. Regueros negros de aguas fecales bajaban a encontrarse con las ruedas de la carreta. Vio un gran cadalso en el que estaba apilada la leña de una hoguera, junto a él esperaban sombras siniestras... Sacudió la cabeza. Ainur quería despertar de aquel sueño y volver a la realidad, aunque la realidad fuera aquel otro fuego que la había hecho soñar con éste: el fuego real de la casa de la viuda Rius, que había sido su casa, la única que tenía en el mundo. El peligro real de los matones y del pueblo enloquecido. Apretó los párpados con fuerza. Tenía que recuperar la conciencia si quería escapar y salir con bien. No tenía coche ni sabía conducir, pero al abrir los ojos no vio ningún vehículo, sino la carreta y los bueyes, algunas gentes se aproximaban a caballo. Reconoció el lugar. Era la misma plaza donde estaba su casa. Reconocía la capilla de la Magdalena. Su casa no estaba allí y en su lugar se extendían huertas y sembrados y eras. También el mar era el mismo, pero su olor llegaba mucho más fuerte, arrastrando el olor de los sembrados y el olor a quemado, sin llegar a vencer la pestilencia a muerte. Pronto vio que procedía de una hoguera apagada, donde un fantasma calcinado pendía con un gran cartelón. Estaba demasiado lejos para leerlo. Si lo que veía era un sueño, tenía que despertar, porque el peligro aquí era soñado pero el otro peligro era real. Abrió otra vez los ojos y volvió a sentir el traqueteo de la carreta. Era una ceremonia antigua. Ofrecían una víctima para el sacrificio, para aplacar a los dioses que dormían en sus tripas. Alguien que pagase por todos, que muriese en su lugar.

El gentío se impacientaba. Sonaban silbidos y menudeaban los insultos. El verdugo se balanceaba sobre sus pies, como si estuviera aburrido. La tea en ristre mientras el escribano se rascaba la cabeza, mientras esperaba al pie del palo por si se produjera alguna confesión digna de anotar. Él fue el que dio cuenta del milagro. La multitud babeaba ante la inminencia del sacrificio como un perro ante un bocado exquisito. Voceaban, brincaban. Una mujer embarazada ponía los ojos en blanco y un hombrecillo con joroba bailaba una especie de jota. Los viejos alzaban los brazos, los niños pedían ser izados en ellos. Un fraile grueso comía buñuelos con tranquilidad. El inquisidor no llegaba. Por fin llegó un sacerdote que murmuró algo en el oído del otro. El verdugo arrimó la tea a los maderos y las llamas florecieron como una amapola. Se tragaron a Selene con un rugido de león hambriento y un crujido de grillos. Se hizo el silencio por un momento. Todos aguardaban para oír los gritos de la bruja. Selene tenía los cabellos sueltos y la luz del fuego parecía nimbarla como si fuera una corona. Las llamas subían por sus tobillos. Ella no parecía sentir dolor alguno. Su cara estaba serena, sus labios entreabiertos. En ese momento se abrió su boca y no dejó escapar un grito sino un cántico que se apagó cuando el fuego se apoderó de sus cabellos.

Al oír aquel sonido que nunca habían oído, como el de un arpa, la multitud que había gritado volvió a guardar silencio. Una mujer cayó de rodillas sollozando:

—¡Santa!, ¡santa! ¡Santa!

Y la multitud respondió como un eco.

—¡Santa, santa!

Todos estaban sobrecogidos por la belleza y la dignidad de la mujer entre las llamas. No cabía duda de que los ángeles o los diablos la habían salvado del dolor, y ahora les parecía que se elevaba sobre ellos, que ascendía como el humo hacia el cielo.

Sienten como si les hubieran crecido las piernas, los miembros que les faltan les penetran ahora húmedos como el deseo. Consuelo siente que le está creciendo desde el muñón una pierna de placer.

Todo lo que no tienen se ha convertido en una lengua de fuego. Los recorre, los traspasa. Las piernas amputadas crecen, crecen, son más altas que las montañas, se funden con las nubes y ellos, nosotros somos más altos que las montañas, estamos sobre todo. Somos todo.

Miramos el mundo desde arriba y por vez primera lo amamos, vemos cada poro de la piel del otro y deseamos tocarlo, poseerlo, hacerlo una parte de nosotros mismos, porque somos como las nubes y el otro es agua, es el agua que nos falta para apagar nuestra sed. Labios con labios, piel con piel, tullido con giganta, forastero con tendera, altos con bajos, siniestro con dama madura. El mundo entero es un muñón que crece hasta abarcarnos por dentro.

El día en que Selene y Ainur se encontraron en el fuego, el día en que sus miradas se cruzaron a través de ese río turbulento que llamamos Tiempo, el día en que Ainur estuvo a punto de perecer fue un 24 de junio, cuando más altas estaban las hogueras de San Juan en todos los pueblos de la costa y en el norte donde nunca es de noche, pero no en este pueblo. Dicen que aquí no volvieron a encenderse las hogueras desde la quema de la santa o la quema de la bruja, que en esto nadie se pone de acuerdo. Lo cierto es que teníamos mejores usos que dar a la leña. Era un día ventoso, con nubes que se apiñaban como racimos de uva. Selene nunca lo olvidaría: el último día de frescura, a partir de ahí el calor duraría para siempre.

En medio del estruendo de lenguas que se enroscaban, de piernas con brazos y brazos con piernas, Satán salió corriendo despavorido como alma que lleva el Diablo. Como pude conseguí desasirme del abrazo de la tuerta Consuelo que intentaba en vano morder mis labios en un largo y viscoso beso que nada tenía de casto. La tiré al suelo y salí tras él. Mi perro movía el rabo y ladraba alegremente como si hubiera visto a un amigo. Consuelo corría tras de mí con su única pierna llamándome con dulces nombres. Juntas llegamos al viejo crucero. Vimos cómo el gran perro negro desaparecía en la niebla. Con él se fue la borrachera de luz que nos había consumido. Consuelo, que estaba intentando lamerme el cuello, se desasió violentamente y escupió con asco en el suelo.

Todos vieron aparecer al gran perro negro. Más tarde dirían que era el Diablo.

Surgió del humo de la hoguera, o de la nada, porque el humo no es, es aire de algo que fue.

Y la hoguera estaba ya medio consumida, pero a nadie le importaba. El pueblo, que había caído de rodillas, se retorcía ahora en el suelo. Habían sentido como si sus pechos se derritiesen, como una herida de luz que les traspasaba. Aquello era la prueba más irrefutable de la santidad de aquella mujer. Mientras fueron capaces de hablar, muchos encomiaron su comportamiento durante los días de la peste que había salvado a tantos. Luego ya no hablaron, la sensación de comunión con el mundo, de que eran fuego, de que eran humo, dejó paso a un éxtasis, a un gemido. Todos éramos uno, Consuelo y yo, e incluso el alcalde de Idumea que se arrastraba hacia mí, me llamaba hija mía, me besaba la mano y yo lo amaba. Todos habíamos bebido el agua con las palabras de Selene sin saber que eran nuestra carne y nuestra sangre. Ahora comulgábamos todos. Todos éramos uno, nos pesaba haber pensado tan mal los unos de los otros, haber dudado, habernos hecho daño, cuando siempre habíamos estado allí, a punto de ser descubiertos por el otro, escondidos detrás de nuestra piel como si fuera una muralla, con los mismos miedos, los mismos deseos, a punto de tocarnos como ahora, de gozarnos como ahora y sin poder hacerlo, presos de nuestro miedo, de nuestra repugnancia por las pequeñas cosas que nos han separado, sin ver este maullido que nos une, que nos une para siempre, porque la luna llena crece dentro de nosotros, y ya no olemos el fuego. Ya no temo las pistolas de los matones. Uno yace con Consuelo y el otro lame la oreja del siniestro. Tienen desabrochada la bragueta y están tendidos en el suelo. No pueden hacerme daño porque me aman, del mismo modo que yo los amo, porque están, todavía, vivos con mi misma vida.

Miré a la multitud. Allí debían de estar muchas personas a las que yo conocía, personas a las que había curado, alguno incluso al que le salvé la vida. Los busqué pero no reconocí a ninguno. La muchedumbre era un solo rostro, un solo gesto repetido mil veces. Ojos brillantes, bocas abiertas. Todos eran un mismo grito.

Se desgañitaban y yo no oía lo que decían. Un viento dentro de mí se llevaba sus palabras. Me pregunté si la droga sería suficientemente poderosa. Había puesto todo lo que quedaba. Era tan fuerte que podría matarme. Era todo lo que me quedaba por hacer, darme muerte por mi mano y no por la suya, pero no sabía si las hierbas serían más fuertes que el fuego. Si yo sería más fuerte que el fuego.

Vi el cielo. Había grandes nubarrones que se arremolinaban como jirones de una vida, la mía, convertida en humo y rabo de nube. Me quedaba muy poco tiempo, tenía que dejarme flotar, volar en la adormidera por encima de las nubes. Mirar una nube y ver mi vida entera. El mundo entero. Ahora el cielo era rojo y en él estaba colgada mi vida. Como ropa puesta a tender, veía los retazos y buscaba un dibujo, un patrón. Cada uno de mis pasos me había acercado más a este momento. Había tenido tanto miedo.

Por fin estaba a salvo del miedo. Al fin ya no podrían hacerme daño. Ya me lo habían hecho. Me veía buscando lino para aliviar la agonía de mi tía Milagros en el fuego. Ella había gritado, no era su grito, no era el grito de un ser humano, era el grito de un animal despedazado. Hasta aquí ya no llegaban sus gritos. En el sueño de la adormidera mi tía sonreía en la hoguera como yo.

En el rojo del cielo los niños me tiraban piedras y me hablaban de mi padre, el herrero. Veía al bachiller dándome el agua bendita y al inquisidor inclinado sobre mí. Vencía al cazador de brujas en el arroyo. Vi a mi hija a la que nunca había visto y era pelirroja como yo. Encontré al médico judío, mi hermano en el fuego, y consolé a Casilda de sus remordimientos. Todos estaban allí. A salvo. Al otro lado del fuego.

Consuelo y los gigantes cojos y el farero y el Señor Oscuro, mi abuela y el cartero siniestro, todos danzaban en torno al fuego y no necesitaba preguntarle a Selene si era cierto que el joven inquisidor envenenó las fuentes o si no es más cierto que vertió el brebaje en el agua bendita o si lo mezcló con el aguardiente de Consuelo. No necesito preguntarle nada porque yo soy Selene y con Selene muero.

Hay quien dice que todos murieron por mi culpa pero yo creo que no fue así. Creo que durante tres días y tres noches la plaza del pueblo se convirtió en la plaza del aquelarre. Follaron los viejos con los jóvenes y los jóvenes con los más jóvenes. Los viejos sintieron ansias de jóvenes y los más jóvenes creyeron tocar el cielo. Era una hoguera de pieles consumiéndose a fuego lento, todos sus cuerpos como un gran ojo retorciéndose de placer en la plaza del pueblo. No sentían la frialdad de las losas del suelo porque todos ellos eran fuego.

Entonces,
vi al perro.
Mi alma
volvía.

LA VOZ DEL NORTE

REDACCION

El ex alcalde de Idumea, que protagonizó un famoso escándalo por acoso, recluido en un manicomio

El polémico ex alcalde de Idumea, que saltó a la fama por haber perdido el primer caso por acoso sexual y laboral y que últimamente era habitual en las tertulias televisivas y radiofónicas, ha sido recluido en un centro asistencial para enfermos mentales por orden del Juzgado de Instrucción nº 2 de Madrid. La medida se tomó ante sus delirantes declaraciones ante los medios en los últimos días en las que aseguraba haber sido víctima de brujería, haber volado por los aires y haber visto al Demonio con la forma de un perro negro. El alcalde, que reconoció que su intención era «dar su merecido» a su acusadora, la famosa Ainur, que sigue en paradero desconocido, aseguró haber visto a la misma volar por los aires cuando intentaban prender fuego a su casa. El fiscal ha descartado intervenir en el posible delito por considerarlo fruto del mismo delirio. En el momento de escribir estas líneas, no ha quedado claro si es una nueva forma de llamar la atención del ínclito alcalde y líder de la *Plataforma contra las mentiras de las mujeres* o si se trata de verdadera demencia. Un grupo de una decena de partidarios se manifestó en los exteriores de la Fundación Jiménez Díaz al grito de: «Nosotros somos los maltratados», «Mujeres a la cocina». La pequeña manifestación se disolvió sin incidentes.

La multitud arrodillada vio llegar un pájaro de hierro, un armatoste enorme como una máquina de las catapultas con aspas que giraban. Unos dijeron que venía del averno, porque le acompañaba un rugido infernal, otros, sin embargo reconocieron que era la ira de Dios por haber quemado a una santa. Un viento huracanado azotó la plaza. Hizo volar las tocas de las mujeres y los cabellos de las doncellas. El gentío gritó despavorido. El pájaro descendía en círculos titubeando, como si hubiera bebido. Todo el mundo se postró de bruces en la tierra. Algunos se atrevieron a atisbar por entre los puños cerrados con los que intentaban proteger su rostro del estruendo. Los más no osaban abrir los ojos por temor a caer fulminados. Unos pocos, entre ellos el inquisidor Samuel de la Llave, se quedaron de pie y trataron de mirar a la muerte a los ojos.

Sólo que de cerca la muerte no tenía ojos, tenía ventanas. Se abrieron y descendieron dos ángeles según unos y dos demonios según otros. Llevaban ropas verdes con manchas oscuras que no se parecían a ningún ropaje que hubieran visto antes, incluso tres mercaderes venecianos que se hallaban de paso y se habían desviado de su camino para ver la ejecución fueron incapaces de reconocer el origen de aquellos extraños trajes ajustados. El pájaro se había posado en un extremo de la plaza. Casi tocando el árbol de fuego donde el cadáver de la bruja santa estaba inmóvil y negro, la hoguera humeaba sin entusiasmo y el fuego era ahora bajo y taciturno. No había sido una buena hoguera, pero a nadie parecía importarle ahora. Los hombres caminaron unos pasos y levantaron del suelo a una muchacha en la que nadie había reparado. Ahora todas las miradas cayeron sobre ella y los que tenían los ojos cerrados los abrieron ante los empellones de sus vecinos. Ella también vestía extraños ropajes, tenía los cabellos rojos desgreñados. El pájaro seguía haciendo girar sus alas que eran como aspas, y el cabello rojo tremolaba como una bandera. Pero no era esto lo que les llamó la atención, sino que desde esta distancia la mujer parecía la misma que la que estaba amarrada a la hoguera. Quizá fuera la misma porque ya era imposible reconocer su cuerpo calcinado. Los dos seres del cielo y la mujer cruzaron unas palabras, luego, los mensajeros volvieron al pájaro y la izaron hacia él levantándola de las manos. Algunos volvieron a ver al perro negro, que de un gran salto se izó sobre el aparato infernal: pájaro o mecanismo, que todas esas explicaciones se dieron luego. En ese momento la multitud volvió a rugir:

—¡Santa, santa, santa!

Se desató un viento terrible que lo borró todo, las buenas gentes se encogieron y agarraron a sus hijos, pidieron perdón por sus pecados y se doblaron ante aquel viento. El fragor era insoportable. Se asemejaba a mil batanes que tañeran a la vez, era como un estruendo de miles de piedras que caían. Todos pensaron que había llegado su última hora. Se disipó el viento y alzando los ojos vieron que estaban aún vivos y que el pájaro se alejaba volando torpe por el cielo.

Interrogatorio de Casilda Cifuentes

Ante Dios Nuestro Señor y en esta Villa de las Asturias de Oviedo, estando los señores inquisidores don Lisardo Lombardía y don Mauricio Lapuente en su audiencia de la tarde, ordenaron comparecer ante sí a Casilda Cifuentes de sesenta y dos años, natural de San Martín del Valledor, que juró en forma debida decir toda la verdad.

Preguntada por la razón de su presencia en el quemadero la tarde de los acontecimientos que están siendo indagados y de su relación con la relajada Selene Martínez de Córdoba, la atestante manifiesta que la interfecta le salvó la vida y la hacienda curándola de unas fiebres, y que ha sido su mejor amiga en esta vida y en la otra. Preguntada si no teme que la acusación de brujería caiga sobre ella, declara que ya ha sufrido los interrogatorios del santo Tribunal, que es viuda y piadosa y ha hecho donación a la Santa Madre Iglesia de todos sus bienes, como es sabido de todos, por lo cual el Alto Tribunal declaró su inocencia dejándola ir. Preguntada por su opinión sobre los vergonzosos *acontecimientos del veintitrés de junio, noche de San Juan, en el quemadero, la testigo afirma que Dios y Nuestra Señora obraron un milagro poniendo de manifiesto la santidad de Selene, martirizada por su virtud. En cuanto a los excesos que nos han sido relatados declara que ella sólo vio la gloria de Dios y a Selene subir a los cielos en cuerpo y alma. Niega haber presenciado concupiscencia alguna, diciendo que tales sueños lujuriosos se hallan en la mente de los interrogadores. Reprendida por este Tribunal, dice que no ha querido ofender, que errar es humano y perdonar es divino y otras sandeces que este escribano se niega a transcribir. Preguntada si vio a Satanás en la figura de un gran perro negro, la declarante dice que vio al perro que no es Satán aunque se llame así sino un perro que la relajada tuvo en su juventud y que hace tiempo andaba perdido y que ella, Casilda Cifuentes, cree que apareció para dar ánimos a la acusada y acompañarla ese día. Interrogada de nuevo acerca del motivo de su presencia junto al palo donde recogió algunos restos de la saya de la relajada, niega haberlos recogido como reliquias, aunque podrían serlo si la Santa Madre Iglesia admite la santidad de la ejecutada, reprendida por este Tribunal dice que la razón más importante de estar junto al palo fue acompañar a su amiga en amanecer tan triste y que si le hubieran permitido morir en su lugar también lo habría hecho. Sin embargo por la misericordia divina su amiga fue raptada por los ángeles y ni se dio cuenta de su presencia ni de la del fuego porque se hallaba ya —dice la interfecta— en presencia de Dios.*

Preguntada la atestante cómo puede ser que Dios favorezca a una bruja condenada por la Santa Madre Iglesia, la anciana Casilda responde que Dios Nuestro Señor ve lo que está oculto y conoce lo que no ha sido revelado. No se para en las apariencias sino que juzga los corazones, razón por la cual todos estamos sujetos a su juicio, que es el único verdadero.

El Tribunal usa su misericordia con ella que apenas puede andar ni moverse y no entabla proceso ni causa alguna, sino prohibirle que siga difundiendo el bulo de la santidad de la tal Selene para lo cual se le ordena guardar secreto de todo lo acontecido en el quemadero so pena de excomunión.

Fui presente yo, Pablo Álvarez, escribano.

(Declaración de Casilda Cifuentes, costurera, en el informe sobre los extraños acontecimientos que acompañaron a la ejecución de la condenada y relapsa por brujería y tratos con el Diablo conocida como Selene).

Nos dijeron que había un incendio forestal, pero ya vemos que sólo es una casa que ha ardido. Alguien llamó a comandancia. Este pueblo está demasiado cerca del Parque Natural.

El helicóptero se alzó por encima de los cuerpos que yacían desnudos o a medio vestir, cuerpos que se agitaban como extrañas flores desde esta altura, brazos con piernas ajenas y piernas con troncos que no les correspondían. Todos gruñían y el olor a sexo era tan insoportable que incluso a esa distancia aturdía a los ocupantes del helicóptero.

—Parece una orgía. Tienen una curiosa forma de celebrar las fiestas patronales.

—Eso no es de nuestra incumbencia. No deberíamos haberla dejado subir al helicóptero.

—Bueno, ella era la única que estaba vestida.

—Y despierta.

—Nos lo pedía con tanta desesperación, que teníamos que socorrerla. Y parecía tan desvalida... No podíamos dejarla allí.

—¿Y el perro?

—Tampoco podíamos dejarlo allí, a mí me gustan los perros.

—¿Qué hacemos con la chica? ¿La llevamos al hospital o a la comisaría?

El helicóptero dio una vuelta más sobre la iglesia, voló por encima del camposanto en el acantilado y sobre el mar que rugía blanco y negro. Dejó atrás la casa del Señor Oscuro y el crucero que marcaba los puntos cardinales y siguió volando hacia los montes azules, y hacia el siglo XXI, sin cambiar el rumbo.

Abrí los ojos y vi que la tierra había desaparecido bajo mis pies. Oí un ruido ensordecedor. Estaba volando. Sobrevolábamos el mar donde había visto por última vez al farero. Deseé que desde el fondo del mar fuese el primer hombre en tocar la Luna con sus guantes rojos. Vi los tejados de pizarra del pueblo y las ruinas humeantes de aquella casa donde nunca entraba la luz. El tejado estaba derruido y el sol y las nubes entraban a raudales. En algún lugar debajo de mí estaba lo que quedaba del Señor Oscuro. Siempre había temido la luz y la luz del rayo se había vengado al final. Vi a seres como hormigas que se agitaban. Me había levantado, por fin, sobre Consuelo, que seguiría moviendo los hilos del pueblo como una araña o como una reina. Volaba sobre Gago, el cartero siniestro. Y sobre los gigantes rubios. Sobre los malos y sobre los buenos. Desde aquella altura la maldad y la bondad no se diferenciaban tanto. Volaba sobre la plaza del pueblo, sobre la pira de Selene, sobre su triunfo final en el futuro y su terrible derrota en el pasado. Volábamos. Era difícil saber si todo había sido un efecto de las hierbas mágicas o de las palabras de la comadrona. Una alucinación o una profecía. O las dos cosas. Cualquiera de aquellas sombras que se agitaba en el verde podría ser el caballo de Samuel de la Llave, huyendo con mi antepasada en su regazo hacia otro lugar donde no fuéramos malditas.

Durante mucho tiempo no quise volver al pueblo y viví temiendo que alguien me encontrara. Me daba la vuelta cada vez que oía unos pasos detrás de mí. Veía el rostro del Señor Oscuro en los charcos, en el negro del café de todas las mañanas, en la cara de un desconocido al que seguía hasta que de repente se convertía en otro. En todas las superficies lisas donde los cuerpos se repiten, vi una y otra vez la cara del Señor Oscuro, hasta que un día, del mismo modo que habían cesado los anónimos y los animales muertos, sin que hubiera un motivo, dejé de verlo.

Algo crecía en mi vientre, algo que me llenaba de esperanzas y temores. Algo que quería salir a la luz. Era el principio de todo. Dentro de mí latía el corazón de un hombre muerto.

Entonces quise volver al pueblo, partí hacia él todas las veces y no lograba encontrarlo. Al llegar a un punto de la carretera perdía su rastro. Un pueblo no puede huir. O eso dicen. Seguía existiendo el letrero, pero yo siempre me perdía y acababa en un acantilado. Una vez conseguí entrever el pueblo entre la niebla, pero no logré llegar hasta él. Mi psiquiatra dijo que eso quiere decir que mi subconsciente teme volver. En ese caso, le respondí, puedo asegurarle que el subconsciente, si alguna vez lo he tenido, me lo dejé olvidado, exactamente en ese lugar. Ya no tengo visiones. Me he convertido en una aburrida persona normal. Por eso no tengo miedo de volver. Y sé que el pueblo existe. Sigo siendo propietaria de una casa que soy incapaz de encontrar. Cada vez que intento llegar, me pierdo en la niebla.

Sé que el pueblo existe
sólo que no soy capaz de volver.

Todo comienza con la creación del mundo. El principio de este mundo es un latido. Un latido que crece y crece. El gran Big Bang. Dos células invisibles, después cuatro; a las pocas horas, ocho. Comienzan a latir. Comienzan a vivir.

Lo primero que oímos es ese gran corazón.

Somos tan pequeños y él tan grande...

Y nace Dios. Dios es lo que siente el corazón pequeño cuando palpita el grande.

Y todo comienza.

Todo acaba.

Dentro de nueve meses daré a luz al hijo de un hombre muerto.

Oiga, y esto, ¿dónde va a salir publicado? ¿Y de dónde es ese periódico para el que usted dice que trabaja?

Ya me avisará cuando salga, para que yo le diga a mi sobrina la de La Coruña. No, de ese periódico no he oído hablar. Yo no digo que no sea tan importante como dice, pero es que, sabe usted, aquí no llegan muchos periódicos. Ni periódicos ni nada. No llega nada ni nadie. Estamos al final de la carretera. Desde aquí ya no se va a ninguna parte. Para venir aquí, uno tiene que querer venir aquí. Algunos llegan perdidos. Ésos se van pronto. Usted no parece de ésos.

Váyase ya, que está oscureciendo, no vaya a perderse con tantas rotondas. Y, si se pierde, no pasa nada. Puede pasar la noche aquí. No hay hostal, pero alguien le dará posada. Yo misma podría hacerlo, aunque no sé si debo. Por el qué dirán. Soy soltera, sabe. Váyase, váyase ya y vuelva cuando quiera.

Yo lo estaré esperando.

Agradecimientos

Se necesitan mucho más que nueve meses para que nazca un libro y el parto es esfuerzo de muchos. Gracias

A Ingrid Riesco
A Gonzalo Albert
A Tania María Ruiz
A Samuel de la Llave
A Ricardo Virtanen
A Aurora Espin
A Ángeles Aguilera
A Beatriz Ledesma
A Luis García
A Carmen Garijo
A María Santamaría
A Emilio Ruiz Granda y María José Anta
A Helena Cosano y a Daniel Kelhman

Suma de Letras es un sello editorial del Grupo Santillana

www.sumadeletras.com/mx

Argentina
Avda. Leandro N. Alem, 720
C 1001 AAP Buenos Aires
Tel. (54 114) 119 50 00
Fax (54 114) 912 74 40

Bolivia
Avda. Arce, 2333
La Paz
Tel. (591 2) 44 11 22
Fax (591 2) 44 22 08

Chile
Dr. Aníbal Ariztía, 1444
Providencia
Santiago de Chile
Tel. (56 2) 384 30 00
Fax (56 2) 384 30 60

Colombia
Calle 80, 10-23
Bogotá
Tel. (57 1) 635 12 00
Fax (57 1) 236 93 82

Costa Rica
La Uruca
Del Edificio de Aviación Civil 200 m al Oeste
San José de Costa Rica
Tel. (506) 220 42 42 y 220 47 70
Fax (506) 220 13 20

Ecuador
Avda. Eloy Alfaro, 33-3470 y Avda. 6 de Diciembre
Quito
Tel. (593 2) 244 66 56 y 244 21 54
Fax (593 2) 244 87 91

El Salvador
Siemens, 51
Zona Industrial Santa Elena
Antiguo Cuscatlan - La Libertad
Tel. (503) 2 505 89 y 2 289 89 20
Fax (503) 2 278 60 66

España
Torrelaguna, 60
28043 Madrid
Tel. (34 91) 744 90 60
Fax (34 91) 744 92 24

Estados Unidos
2105 N.W. 86th Avenue
Doral, F.L. 33122
Tel. (1 305) 591 95 22 y 591 22 32
Fax (1 305) 591 91 45

Guatemala
7ª Avda. 11-11
Zona 9
Guatemala C.A.
Tel. (502) 24 29 43 00
Fax (502) 24 29 43 43

Honduras
Colonia Tepeyac Contigua a Banco Cuscatlan
Boulevard Juan Pablo, frente al Templo
Adventista 7º Día, Casa 1626
Tegucigalpa
Tel. (504) 239 98 84

México
Avda. Río Mixcoac, 274
Colonia Acacias
03240 México D.F.
Tel. (52 5) 554 20 75 30
Fax (52 5) 556 01 10 67

Panamá
Avda. Juan Pablo II, 15. Apartado Postal
863199, zona 7. Urbanización Industrial
La Locería - Ciudad de Panamá
Tel. (507) 260 09 45

Paraguay
Avda. Venezuela, 276,
entre Mariscal López y España
Asunción
Tel./fax (595 21) 213 294 y 214 983

Perú
Avda. Primavera, 2160
Surco
Lima 33
Tel. (51 1) 313 40 00
Fax. (51 1) 313 40 01

Puerto Rico
Avda. Roosevelt, 1506
Guaynabo 00968
Puerto Rico
Tel. (1 787) 781 98 00
Fax (1 787) 782 61 49

República Dominicana
Juan Sánchez Ramírez, 9
Gazcue
Santo Domingo R.D.
Tel. (1809) 682 13 82 y 221 08 70
Fax (1809) 689 10 22

Uruguay
Constitución, 1889
11800 Montevideo
Tel. (598 2) 402 73 42 y 402 72 71
Fax (598 2) 401 51 86

Venezuela
Avda. Rómulo Gallegos
Edificio Zulia, 1º - Sector Monte Cristo
Boleita Norte
Caracas
Tel. (58 212) 235 30 33
Fax (58 212) 239 10 51

Esta obra se terminó de imprimir en agosto de 2011
en los talleres de Programas Educativos S.A. de C.V.
Calz. de Chabacano No. 65-A, Col. Asturias
C.P. 06850, México, D.F.